PRÉVISIONS NUMÉROLOGIQUES POUR LA VIE

AMOUR · TRAVAIL · SANTÉ · ARGENT

Données de catalogage avant publication (Canada)

Savard, Claire, 1954-

  Prévisions numérologiques pour la vie

  ISBN 2-89089-643-9

  1. Numérologie. I. Titre.

BF1623.P9S29 1994   133.3'35   C94-940866-2

LES ÉDITIONS QUEBECOR INC.
7, Chemin Bates, bureau 100
Outremont (Québec)
H2V 1A6
Téléphone : (514) 270-1746

Éditeur : Jacques Simard
Coordonnatrice à la production : Dianne Rioux
Conception de la page couverture : Bernard Langlois
Photo de la page couverture : Charly Franklin / Masterfile
Photo de l'auteure : Gilles Savard

Correction d'épreuves : Hélène Léveillé
Infographie : Jean-François Ouimet de Typo Data Plus
Impression : Imprimerie l'Éclaireur

CLAIRE SAVARD

PRÉVISIONS NUMÉROLOGIQUES POUR LA VIE

AMOUR • TRAVAIL • SANTÉ • ARGENT

Les Éditions Quebecor

*Je dédie ce livre à ma sœur Danièle
et à tous ceux qui, comme elle,
se questionnent sur leur avenir.*

REMERCIEMENTS

Je tiens tout particulièrement à remercier mon amie Marie-Claude Nadeau, astrologue et animatrice à Télé-24, qui m'a incitée à écrire un livre sur la numérologie.

Je remercie également mon amie Marjolaine Gagné, directrice générale de Télé-24, à Québec. C'est en grande partie grâce à ces deux personnes que j'ai pu me faire connaître.

Mille mercis également à mon amie Marie-Ange Lanthier, toujours prête à partager ses connaissances avec moi.

Je suis reconnaissante à mon frère Gilles Savard de m'avoir si gentiment offert ses services comme photographe pour mes deux livres.

TABLE DES MATIÈRES

APPENDICE

AVANT-PROPOS

Comme vous le savez, la vie est une roue qui tourne et selon le numérologue Kevin Quinn Avery, l'auteur américain dont je me suis inspirée, nous sommes soumis à un cycle de neuf ans. Il est préférable de fournir le maximum d'efforts au début du cycle, et lors des dernières années nous récoltons ce que nous avons semé. Quand nous terminons le 9e cycle, nous recommençons encore avec l'année 1, et ainsi de suite, durant toute notre existence.

Les événements vécus au fil des ans peuvent être différents, mais les mêmes influences reviennent. Par exemple, dans une année 8 de nature matérielle, on peut acheter une maison et dans une autre année 8, neuf ans plus tard, on pourrait faire un autre genre d'investissement.

J'étais moi-même en année 1, il y a neuf ans, quand je me suis mise à pratiquer sérieusement la numérologie. Cette année, je suis encore en année 1 et j'ai décidé d'écrire un livre sur ce sujet. Ces deux années 1 ont en commun le début d'une action, mais de façon différente.

Comme je connais la numérologie depuis plus de douze ans, j'ai pu expérimenter consciemment les courants de chacune des années. J'en ai constaté l'utilité et c'est pourquoi j'ai pensé vous offrir cet ouvrage.

Les nombres dégagent des vibrations et nous aident à faire des choix afin de tirer parti des bons côtés d'une année et d'en éviter les embûches. Ce ne sont pas des prédictions, car la manière dont vous utiliserez ce savoir dépendra de vous.

Chaque année, mois ou jour est propice pour certaines activités. Il suffit d'utiliser cet outil de connaissance pour vous faciliter la vie.

En bref, la vie affective est mise en évidence durant les années 2 et 6. Les changements de travail se font durant les années 1 et 5. Les transactions financières sont importantes lors d'une année 8. Les courts déplacements sont principalement recommandés pendant l'année 3 et et les longs voyages en année 9. L'année 4 est une année où vous avez beaucoup d'efforts à fournir, tandis que l'année 7 en est une pour se reposer.

Même si un domaine est moins avantagé dans une année, il y aura toujours un mois en particulier qui lui sera favorable. Il suffit alors d'en profiter à ce moment-là.

Après avoir trouvé votre nombre annuel, vous n'avez qu'à lire les tendances générales qui s'y rapportent, ainsi que les prévisions détaillées pour chaque mois de l'année.

Veuillez noter que les vibrations d'une année commencent à faire effet en janvier et sont plus puissantes de mars à septembre, et surtout les mois qui suivent votre anniversaire.

Les vibrations du mois, quant à elles, sont plus fortes du 5e au 25e jour de ce mois et surtout après votre jour de naissance.

Quelques auteurs affirment qu'une vibration annuelle commencent le mois de la naissance, et non en janvier de chaque année. Les personnes nées vers la fin de l'année remarqueront probablement un certain décalage, car les influences d'une année peuvent se faire sentir plus tard. Il n'en tient qu'à vous de vérifier si c'est votre cas, à l'aide d'événements majeurs survenus dans le passé. En effet, ma méthode vous permet de rechercher les influences des nombres autant pour les années précédentes que pour celles à venir.

* Pour avoir un aperçu rapide de l'ambiance d'un mois ou d'une année concernant l'amour, le travail, l'argent, la santé et les voyages, j'ai mis des ÉTOILES. Une étoile indique qu'il y peu de satisfactions à attendre dans ce secteur. Deux étoiles indiquent que c'est modéré. S'il y a trois étoiles, les nombres favorisent beaucoup cette sphère de votre vie pendant cette même période.

J'ai ajouté l'ANNÉE MONDIALE pour ceux qui aimeraient connaître les courants qui influencent le monde en général durant une année précise.

AVERTISSEMENT

Vous ne devez pas oublier qu'un secteur protégé durant une année ou un mois peut s'avérer mauvais pour vous, selon les actes que vous avez posés antérieurement. L'inverse est également vrai. Tout peut bien se passer dans un domaine considéré comme problématique. Cela dépend de l'usage précédent de votre libre arbitre; la loi du juste retour des choses s'applique en tout temps.

Les expériences que vous vivez actuellement sont le résultat de ce que vous avez fait auparavant. Votre futur est un état potentiel qui dépend de vos comportements passés et présents, de la manière dont vous utilisez votre libre choix.

Prenons l'exemple d'une personne qui serait dans une année 6, chanceuse en amour, et qui négligerait son partenaire depuis longtemps. Il n'est pas dit qu'une séparation n'aura pas lieu cette année-là, malgré les vibrations positives. On récolte ce que l'on sème.

Dans un autre ordre d'idées, si vous allez en voyage dans une année 9 et que vous commettez de grandes imprudences, vous pouvez vous attirer de graves problèmes, même si cette année-là est propice aux déplacements. Il faut être logique.

Les prévisions que vous lirez sont donc des probabilités qui peuvent être modifiées en bien ou en mal selon vos propres agissements: «Aide-toi et le ciel t'aidera.» Finalement, il est bon de vous rappeler cet autre dicton: «Un homme averti en vaut deux.» Prenez donc votre avenir en main et utilisez votre discernement!

J'espère que vous comprenez bien tout cela et que vous saurez tirer profit au maximum des occasions que chaque année vous offre.

Que ce livre vous apporte la réussite et le bonheur!

Numérologiquement vôtre,
Claire Savard

N.B.: Pour alléger le texte, la forme masculine a été utilisée, mais elle désigne aussi bien les femmes que les hommes.

MÉTHODE

Pour utiliser ce livre, vous n'avez donc qu'à trouver le nombre qui se rapporte à l'année désirée. Je vous propose une méthode simple, puisque vous n'avez qu'une addition à effectuer.

Pour ce faire, vous devez additionner votre jour et votre mois de naissance à l'année de votre choix.

Voici le calcul à faire pour connaître les tendances de l'année 1995, pour une personne née le 6 mai 1950:

jour de naissance :   6
mois de naissance :   5
année choisie   : 1995
$2+0+0+6 = 2+6 = 8$

Son nombre annuel serait alors 8 pour l'année 1995.

Je vous montre une seconde façon de calculer avec une autre personne née le 23 septembre et qui désirerait ses prévisions pour l'année 1994.

Vous additionnez horizontalement le jour, le mois et l'année choisie, soit $2+3 + 9 + 1+9+9+4 = 3+7 = 1+0 = 1$. Son nombre annuel serait alors 1 en 1995; elle serait donc en année personnelle 1.

Si la même personne voulait connaître les influences qui prévalaient en 1960, elle n'aurait qu'à remplacer l'année 1994 par l'année 1960 ($2+3 + 9 + 1+9+6+0$) et elle obtiendrait 3.

Vous n'avez qu'à procéder ainsi pour n'importe quelle année future ou passée. Veuillez noter que <u>vous devez réduire la somme à un chiffre de 1 à 9</u>. Vous lisez ensuite les prévisions de l'année qui correspond au nombre que vous avez obtenu.

Pour trouver l'ANNÉE MONDIALE en cours, vous n'avez qu'à additionner seulement les chiffres de l'année en question. Par exemple, en 1994, nous sommes en année mondiale 5 (1+9+9+4= 2+3).

ANNÉE 1

ACTION

C'est la première année du cycle de neuf ans. Elle permet donc de nouveaux départs. La période est propice aux innovations. Il faut vous prendre en main cette année, étant donné que vous préparez les huit prochaines années.

Travail ***
Argent **

C'est le temps de foncer et non de vous reposer. Vous ne devez compter que sur vous-même. Les projets amorcés cette année porteront fruit à long terme. Si vous n'avez pas fait le ménage l'an dernier, il est possible que des activités se terminent. Par conséquent, des actions commencées l'an passé vous tracasseront peut-être.

Si vous voulez vous lancer en affaires, voici l'année idéale, surtout si vous avez 23, 35, 47, 59 ou 71 ans. Vous pouvez aussi changer de domicile, d'occupation ou avoir une promotion, en particulier si vous êtes âgé de 24, 36, 48, 60 ou 72 ans.

La phase est favorable pour signer des contrats. Vos rentrées d'argent cette année seront proportionnelles aux efforts fournis dans le travail. Ceux d'entre vous qui ont 29, 41, 53, 65 ou 77 ans seront les plus chanceux.

Amour *
Social

La vie amoureuse ne sera pas au premier plan. Vous pourrez même éprouver des moments de solitude si vous êtes trop égocentrique. L'été sera assez difficile à cet égard et ce sera pire si vous êtes âgé de 21, 33, 45, 57 ou 69 ans. Vous devez être autonome, mais évitez de dominer votre conjoint. Les couples de longue date pourraient repartir sur une nouvelle base.

Une nouvelle rencontre ou des aventures amoureuses sont possibles, notamment pour les personnes ayant 20, 32, 44, 56, 68 ou 80 ans. Les célibataires se trouveront peut-être un partenaire, mais pas nécessairement pour longtemps. Les relations affectives qui ont commencé à l'automne ont plus de chances d'être durables.

Santé ***
Voyages *

En général, le niveau d'énergie est élevé. Vous pourrez sentir de la fatigue et de la nervosité surtout si vous avez 25, 37, 49, 61 ou 73 ans. La tête et les organes sensoriels (yeux, nez, oreilles, etc.) sont à surveiller cette année.

Vous manquerez probablement de temps pour partir au loin, mais vous pouvez planifier un grand voyage pour les mois de juin et août.

<u>Mois plus chanceux</u> : février, avril et novembre.

<u>Mois plus difficiles</u> : juin, octobre et décembre.

ANNÉE MONDIALE 1
(1981, 1990, 1999, ...)

L'année 1 est propice à l'instauration de nouvelles structures et aux changements importants et durables. Les décisions prises cette année influeront sur les prochaines années, car c'est une période de semailles.

Il y a des possibilités de tensions entre les peuples. La condition masculine pourrait être un sujet d'actualité.

Janvier (2) amour ** travail * santé **

L'année ne démarre pas assez vite à votre goût et cela vous cause une tension intérieure. Les journées des 8, 17 et 26 seront plus mouvementées. Vos affaires auront des hauts et des bas en janvier.

Même si les choses ne vont pas aussi rapidement que vous le souhaiteriez, vous avancez. Toutefois, vous auriez intérêt à miser sur le travail d'équipe.

Vous aurez quelques sautes d'humeur et votre conjoint en subira les conséquences. Vous n'arrivez plus à voir clair en vous et vous exigez beaucoup de l'autre. Les célibataires seront plus chanceux dans leurs amours, car une personne pourrait entrer dans leur vie.

Février (3) amour *** travail *** santé ***

En février, vous avez le vent dans les voiles et votre santé est excellente. Vos projets prennent forme, particulièrement les 1er, 10, 19 et 28. Des concours de circonstances faciliteront votre réussite. Vous aurez des éclairs de génie, sauf que vous serez porté à vous éparpiller.

De plus, vos contacts seront fructueux, puisque vous avez de l'ascendant sur votre entourage.

Même votre vie affective est agréable en ce mois de la Saint-Valentin et vous pouvez penser à concevoir un enfant.

Non seulement l'époque est-elle propice aux vacances, mais les activités sociales et les courts déplacements sont également recommandés.

Mars (4) amour * travail ** santé **

Voici le mois le plus fatigant de l'année, puisque les influences ne sont pas bénéfiques et que vos journées seront bien remplies.

Malgré tous vos efforts, vous pourriez vous buter à des obstacles d'ordre matériel et avoir de la difficulté à trouver des solutions. Gérez votre emploi du temps comme il faut et poursuivez l'ouvrage déjà commencé.

Vous pouvez dire adieu à l'harmonie du mois dernier dans votre vie personnelle. Les rapports humains seront difficiles en mars.

Changez-vous les idées les 1er, 10, 19 et 28 et reposez-vous les 3, 12, 21 et 30, vous en aurez besoin. Votre corps a ses limites et vous devez l'accepter. Vous avez trop tendance à abuser de vos forces.

Avril (5) amour ** travail *** santé ***

Après la pluie, le beau temps. Vous êtes effectivement plus libre et plus en train que le mois précédent, mais l'action ne manquera pas et le rythme ne sera pas toujours facile à suivre. Des changements imprévus accroîtront votre nervosité et la concentration ne sera pas facile en avril. Consolez-vous, les 2, 11, 20 et 29 seront plus calmes.

Vous devriez investir dans la publicité sous cette vibration. Soyez prudent, des problèmes légaux sont possibles!

En amour, des idylles passagères pourront se former. Un besoin d'indépendance s'avérera un léger handicap pour les couples.

Un voyage s'annoncera peut-être et vous en retireriez beaucoup de plaisir.

Mai (6) amour *** travail ** santé **

C'est le mois idéal pour la fête des Mères, car la famille sera au premier plan et il régnera une ambiance de paix. Il pourrait y avoir du changement à la maison, les 8, 17 et 26.

Bien qu'elle ne soit pas aussi palpitante qu'au mois d'avril, votre vie sentimentale vous rendra heureux. Cela aura des répercussions positives sur votre condition physique.

Une seule ombre au tableau, vous devrez probablement assumer de nouvelles responsabilités au travail que vous trouverez pénibles à accepter. Ces entraves freineront quelque peu vos élans. Cependant, un retournement de situation en votre faveur est à envisager.

Juin (7) amour * travail * santé *

Juin sera le mois le plus tranquille de l'année sur le plan des activités, sauf les 3, 12, 21 et 30. Si vous laissez les choses aller d'elles-mêmes, tout sera plus aisé. Les études et la recherche sont bien influencées ce mois-ci et vous pouvez avoir de la veine au jeu.

Malheureusement, vous connaîtrez une certaine lassitude et l'être aimé vous trouvera plus distant que d'habitude. Profitez-en pour vous accorder des moments de répit ou pour prendre des vacances. Il est possible que vous partiez seul, la vie à deux n'étant pas tellement favorisée. Ces courants négatifs dureront peut-être plusieurs mois si vous ne faites rien pour corriger cette situation.

Dans un autre ordre d'idées, vous pourriez vivre de nouvelles expériences spirituelles ou faire un voyage sortant de l'ordinaire.

Juillet (8) amour * travail ** santé ***

Les orientations sont différentes de celles du mois de juin. Des occasions de mener des transactions se présenteront, mais vous pourriez faire face à de l'adversité. Dans ces conditions, quelques pertes ne sont pas exclues. Si vous êtes trop matérialiste et ambitieux, cela nuira à vos relations humaines.

Avec votre énergie débordante, vous répondrez sans peine aux exigences de votre emploi, mais il faudrait apprendre à canaliser convenablement cette énergie.

La vie amoureuse vous apportera peu de compensations, à cause de l'ambiance de lutte qui prévaut. N'agissez pas sur des coups de tête et n'affichez pas trop votre supériorité.

Août (9) amour * travail * santé **

Ce mois d'août sera plein de contradictions. D'un côté, des entreprises seront contrecarrées. D'un autre côté, la période est propice pour achever une tâche en cours et pour élargir vos horizons. D'une manière ou d'une autre, vous feriez mieux de ne rien laisser en suspens. La poursuite d'objectifs communautaires serait vivement recommandée ce mois-ci.

Le climat affectif continue de se détériorer. Des incidents vous perturberont et vous rendront émotif. En effet, certains individus vous feront souffrir, surtout les 9, 18 et 27.

C'est vraiment le temps de vous évader, si l'on considère en plus que les voyages sont favorisés durant tout le mois. En outre votre état de santé est stable.

Septembre (1) amour * travail ** santé ***

L'action reprend en septembre et c'est le mois le plus important de l'année. Néanmoins, les résultats ne seront pas aussi rapides que vous le désireriez, notamment les 1er, 10, 19 et 28. Ne signez aucun papier important au cours de ce mois. Vous devez privilégier l'initiative personnelle et ne pas commettre l'erreur de courir deux lièvres à la fois.

Vous pouvez ressentir une grande agitation intérieure et il ne faudrait pas tourner en rond. Par ailleurs, vous voudrez changer de mode de vie et votre vitalité est à la hausse.

À l'opposé, des affrontements sont probables avec vos proches. Si vous voulez les éviter, ne vous affirmez pas trop.

Octobre (2) amour * travail * santé **

On ne peut pas dire que le mois d'octobre soit votre meilleur mois. D'une part, il y a de fortes possibilités que vos projets subissent des retards, les effets de l'an prochain commençant déjà à se faire sentir. D'autre part, les circonstances n'iront pas comme vous le souhaitez.

Il ne faut rien précipiter, même si vous avez envie de bousculer les événements. Les 8, 17 et 26, vous pouvez être plus fonceur. Un autre conseil, soyez coopératif, sinon vous aurez des conflits au travail.

Votre sensibilité est à fleur de peau et vous vous énerverez. Vous aurez intérêt à être plein de délicatesse, si vous voulez que votre vie intime se déroule bien. Ne vous en faites pas, l'harmonie revient finalement en novembre. Si vous êtes seul, un nouvel amour pourrait débuter.

Novembre (3) amour *** travail ** santé ***

L'envie de vous distraire vous prendra à plusieurs reprises au cours des semaines à venir. C'est très bien ainsi, car les activités se mettront à ralentir petit à petit. Vous pourrez vous permettre un peu de détente en novembre, particulièrement les 4, 13 et 22. Planifiez de petites randonnées pour le plaisir.

Si vous savez être à l'écoute des gens que vous rencontrez ce mois-ci, vous découvrirez des occasions d'élargir votre champ d'action.

Les blessures du mois précédent se referment et vous entrez enfin dans une phase de grande complicité. Vous ferez des plans à long terme avec votre amoureux. La période est aussi propice pour la maternité. Les célibataires auront une vie sociale animée.

Vous serez dans un état d'euphorie et votre charisme fera des merveilles.

Décembre (4) amour * travail * santé **

Le vent a tourné et vous n'aurez probablement pas le goût de fêter en décembre, principalement les 9, 18 et 27. Vous serez très pris par votre occupation et n'espérez pas beaucoup d'amélioration. L'essentiel est de bien vous organiser.

Par chance, vous êtes assez en forme, mais essayez de ne pas vous retrouver à plat durant cette période agitée des fêtes. De plus, soyez économe et pratique dans vos achats de Noël.

Vous pourriez vous disputer avec votre entourage en cette fin d'année, mais cela sera passager. Soyez plus souple et gardez votre sourire, le mois de janvier sera plus amusant!

ANNÉE 2

PATIENCE

L'important, cette année, est de laisser aller les événements, dc ne pas insister et d'être patient.

Travail *
Argent *

Vous trouverez cette année plus lente. Les efforts de l'an dernier ne se feront pas encore beaucoup sentir, mais vous devez continuer les tâches qui ont été commencées. Des occasions se présenteront seulement si vous ne courez pas après.

Toute précipitation devrait être évitée pour ce qui est des questions monétaires cette année et particulièrement si vous êtes âgé de 23, 35, 47, 59 ou 71 ans. Vous recevrez de l'aide et des cadeaux sous cette vibration, surtout ceux qui ont 14, 26, 38, 50, 62 ou 74 ans.

Ce cycle est propice aux associations professionnelles, notamment si vous avez 27, 39, 51, 63 ou 75 ans. Recherchez la compagnie des autres, car le travail d'équipe est favorisé. Il est important de bien coopérer et d'être réceptif.

Les relations avec les femmes sont importantes. Des troubles causés par la gent féminine sont à redouter si vous êtes âgé de 25, 37, 49, 61 ou 73 ans. À l'opposé, ceux qui ont 17, 29, 41, 53 ou 65 ans pourraient obtenir de l'argent grâce à une femme.

Amour ***
Social

La vie sentimentale sera en évidence et vous ne voudrez pas être seul. Les conjoints qui collaborent et qui partagent plusieurs occupations seront heureux durant cette étape. Plusieurs couples auront de ce fait une bonne entente, en particulier les personnes ayant 22 , 34, 46, 58, 70 ou 82 ans.

Par contre, d'autres se sépareront ou auront des remises en question. L'année est toutefois favorable pour les réconciliations. Des célibataires trouveront l'âme sœur, spécialement ceux qui sont âgés de 24, 36, 48, 60 ou 72 ans. L'année est propice pour concevoir ou avoir des enfants, surtout si vous avez 20 ou 32 ans.

Santé **
Voyages *

Des tracas émotifs surgiront peut-être pendant cette phase, particulièrement au mois de juillet. Votre système nerveux et votre système urinaire seront à surveiller. Votre énergie aura des hauts et des bas durant l'année, mais elle sera élevée durant tout l'été.

Les voyages sont peu favorisés en général, sauf pour les mois de mai et juillet. Ceux qui sont âgés de 16, 28, 40, 52, 64 ou 76 ans pourraient en projeter un sans problème.

<u>Mois plus chanceux</u> : janvier et octobre.

<u>Mois plus difficiles</u> : mai et septembre.

ANNÉE MONDIALE 2
(1982, 1991, 2000, ...)

C'est une année de lenteur et de dualité. Le bon et l'ivraie pourraient apparaître en cette période de germination.

Les gouvernements auront des choix importants à faire. Des alliances ou des traités se concluront probablement. Plusieurs associations seront remises en question, et d'autres se formeront.

La vie à deux prendra peut-être une forme différente, à la suite de projets de loi. Les mouvements féministes seront également très actifs.

Janvier (3) amour *** travail ** santé ***

L'année commence sous d'heureux auspices et vous serez populaire. Vous aurez de la chance dans vos communications, surtout si vous coopérez bien. En outre, vous pourrez compter sur vos amis durant cette période et vous vous déplacerez souvent pour rencontrer des gens.

Tous les prétextes seront bons pour sortir de chez vous et les influences seront positives pour des escapades amoureuses.

Vous serez de plus enclin à faire de folles dépenses. (J'espère que vous tirerez parti des ventes de janvier!)

Votre créativité sera forte, particulièrement les 9, 18 et 27 et cela vous aidera à trouver des solutions à des problèmes. Ne participez pas à trop de projets à la fois, même si votre résistance est grande.

Février (4) amour * travail ** santé *

Malgré les frustrations et les contingences matérielles de ce mois de février, vous devrez persévérer dans vos entreprises. Imposez-vous de la discipline et mettez de l'ordre dans votre paperasse.

Le vent a tourné. Vous n'aurez probablement pas le cœur à fêter la Saint-Valentin, car une séparation est possible avec la personne que vous aimez. Sous cette vibration, il serait plutôt souhaitable de resserrer les liens déjà existants. Évitez donc les affrontements et occupez-vous de vos amis, notamment les 8, 17 et 26.

Vous ne serez pas en paix et cela se répercutera sur votre condition physique. Il est quand même normal d'avoir moins de vitalité à la fin de l'hiver.

Mars (5) amour ** travail ** santé ***

Votre vigueur revient avec le printemps. Bien qu'un climat de bonne entente se réinstalle graduellement, je vous suggère de mettre un peu plus de piquant dans votre vie intime. De toute façon, vous aurez des décisions à prendre dans votre vie affective qui sera mouvementée.

Des contacts nouveaux viendront à vous facilement, en particulier les 7, 16 et 25. De plus, vous pouvez envisager des promenades agréables.

Aucun risque de sombrer dans la monotonie au cours de ce mois de mars. Vos activités aussi seront variées et rien ne se passera comme prévu dans votre emploi. Vous devrez peut-être réviser vos positions et utiliser vos talents de négociateur, surtout les 6, 15 et 24. Il faudra bien sûr vous adapter aux circonstances et calmer votre nervosité.

Avril (6) amour *** travail ** santé **

En avril, votre vie personnelle sera plus enrichissante que votre vie professionnelle et votre charme sera puissant. Des accords pourront être signés au travail, principalement les 2, 11, 20 et 29.

Vous aurez droit à toutes les faveurs du destin sur le plan sentimental. Les conditions harmonieuses qui se sont établies au cours des dernières semaines persisteront.

Que vous soyez marié ou célibataire, il y a de la romance dans l'air. Préparez-vous à des soirées en tête à tête. C'est une bonne période pour vous stabiliser en amour ou pour modifier le décor de votre foyer.

À l'opposé, vos proches exigeront souvent votre attention, et votre sensibilité sera à fleur de peau.

Mai (7) amour * travail * santé *

Les conditions se détériorent et ce mois ne sera pas spectaculaire. Il ne sera riche en satisfactions que sur le plan intellectuel, car vous serez vif d'esprit. En somme, mai est propice à l'accumulation de connaissances ou pour vous perfectionner dans votre profession.

Ce cycle favorise surtout les amours platoniques, car votre vie intérieure sera importante. Vous aurez l'impression d'être incompris par votre conjoint et certains voudront prendre leurs distances par rapport à l'être aimé, surtout les 9, 18 et 27. Par la suite vous aurez souvent l'esprit ailleurs et vous ne saurez plus ce que vous voulez.

Prenez des marches dans la nature pour vous ressourcer ou isolez-vous, la fatigue vous gagne. Vous retenez trop d'émotions à l'intérieur de vous et cela dérègle votre système. Vous pouvez aussi penser à partir en voyage.

Juin (8) amour ** travail ** santé ***

La chaleur de juin vous stimule, mais refrénez un peu votre désir de foncer. Attendez que les occasions s'offrent à vous. Les 2, 11, 20 et 29, vous pourrez mettre la pédale au fond. Votre rendement sera nettement supérieur au mois passé.

Ce mois-ci, vous aurez à traiter des questions d'argent et votre horaire sera chargé. Par conséquent, votre prestige et vos profits augmenteront probablement.

L'atmosphère sera légèrement tendue dans vos rapports avec autrui, mais ce ne sera pas grave si vous collaborez bien. Méfiez-vous, votre seuil de tolérance est bas!

En revanche, vous ferez preuve d'une passion peu commune qui exaltera votre amoureux.

Juillet (9) amour * travail * santé **

Au mois de juillet, vous vivrez des sentiments ambivalents dans votre vie privée. Vous manquerez de sécurité et serez facilement perturbé, surtout les 2, 11, 20 et 29. Vos élans passionnels du mois précédent sont terminés.

Qui plus est, des bouleversements dans le domaine affectif sont à prévoir: des pertes ou des chagrins surviendront peut-être.

Vous pourrez achever une tâche qui a nécessité de la collaboration. Tout ce qui a trait à l'étranger est protégé: contacts, déplacements, etc. C'est le meilleur mois cet été pour prendre vos vacances.

Août (1) amour ** travail *** santé ***

Enfin, un mois où l'initiative est à conseiller et où vous savez ce que vous voulez! Vous pouvez ainsi commencer une nouvelle activité en août, à l'exception des 8, 17 et 26. Toutefois, il ne faut pas mettre de côté vos compagnons de travail ou associés.

Tout compte fait, votre soif d'autonomie nuira peut-être à votre vie de couple. Essayez d'être plus tolérant et moins susceptible, car vous aurez tendance à vous emporter. Une nouvelle relation amoureuse pourrait malgré tout commencer durant ce mois.

Votre énergie est à son apogée, et c'est parfait!

Septembre (2) amour * travail * santé *

Voici un mois dont vous vous souviendrez cette année. Votre patience sera mise à rude épreuve. Des problèmes matériels pourraient survenir, à cause de retards. Dans l'ensemble, le climat sera incertain. Le travail en équipe vous conviendrait à merveille.

Votre santé sera fragile en septembre; vous êtes trop angoissé. Vous vous tracassez trop et ce sera pire les 7, 16 et 25.

Dans votre vie intime, l'ambiance sera plus calme que le mois dernier entre vous et l'être aimé.

Cependant, vous aurez des choix à faire et serez porté à tergiverser. Contrôlez votre nervosité et recherchez la quiétude.

Octobre (3) amour *** travail ** santé ***

En octobre, vous retrouvez votre vigueur et le mois s'amorce sur une note excellente. Une situation difficile pourrait s'éclaircir. Par surcroît, la période est favorable aux pourparlers, notamment les 9, 18 et 27.

Vous ne manquerez pas d'idées, mais seulement d'un peu d'audace pour les réaliser. Des contacts établis par le passé vous seraient très utiles pour mener à terme vos desseins personnels.

Du côté des sentiments, l'harmonie est revenue. Par contre, un intime pourrait vous attirer des embêtements. Sortez et distrayez-vous, mais ne vous mettez pas à dépenser sans compter.

Vous pouvez planifier une petite excursion de fin de semaine à deux ce mois-ci. Les déplacements ne manqueront pas d'intérêt.

Novembre (4) amour * travail ** santé *

Vous ne verrez pas le mois de novembre passer. L'ouvrage ne manquera pas, sauf les journées des 3, 12, 21 et 30 qui seront plus tranquilles. Cela vous demandera de l'organisation, mais vous en retirerez la satisfaction du devoir accompli. Des préoccupations financières sont possibles.

Attention au surmenage et au stress! Vous perdez rapidement l'enthousiasme qui vous animait, mais tout se replacera en décembre.

Rien de nouveau ne s'annonce en amour pour les célibataires. Pour les autres, il est préférable de consolider les liens déjà existants, sinon il y aura des ruptures l'an prochain.

Décembre (5) amour ** travail ** santé ***

Vous terminez l'année sur un bon pied. Faites quelque chose de différent pour les fêtes, c'est le temps d'innover. Si vous avez la possibilité de voyager, n'hésitez pas. Vous aurez plusieurs sorties et vous serez porté aux abus, en particulier les 9, 18 et 27.

L'atmosphère sera à la fête en décembre et vous n'aurez pas la tête à travailler. Vous devrez quand même vous ajuster à des changements au travail.

Vous connaîtrez du succès sur le plan affectif. Votre partenaire ne risque pas de s'ennuyer en votre compagnie. Vous ressentez les effets positifs de l'année qui vient et, plus que jamais, vous avez l'intention de vous amuser et d'être entouré.

ANNÉE3

EXTÉRIORISATION

Le secteur le plus visé est celui des relations sociales. L'année 3 est une année agréable en général, principalement pour ceux d'entre vous qui sont âgés de 14, 26, 38, 50, 62 ou 74 ans.

Travail **
Argent **

Des résultats commencent enfin à se manifester dans vos projets si vous avez bien travaillé en année 1, c'est-à-dire il y a deux ans. Vous pourrez élargir votre champ d'action et obtenir des faveurs.

En général, le succès est meilleur pour les occupations créatrices, intellectuelles et commerciales. Mettez en pratique vos nouvelles idées. Les personnes qui ont des rapports avec le public et les artistes auront de bonnes occasions de briller.

Développez vos talents durant vos loisirs et ne vous relâchez pas trop durant cette phase plus douce. Vous avez le goût d'essayer des expériences nouvelles, mais vous devez éviter l'éparpillement et le changement. N'exagérez pas dans les dépenses non plus, même si l'argent vient plus facilement que l'an passé.

Amour **
Social

Les rencontres sociales seront nombreuses et plaisantes. Profitez-en pour nouer des contacts, surtout si vous êtes âgé de 22, 34, 46, 58, 70 ou 82 ans. L'année est propice aux amitiés et aux aventures, en particulier aux mois de février et novembre. Dans l'ensemble, cette période est donc favorable aux amours, à l'exception des mois de mai, juin et octobre. Le moment est également bien choisi pour une naissance et ceux qui ont 20 ou 32 ans sont très fertiles sous cette vibration.

Si vous avez vécu une union difficile durant les trois dernières années, elle risque de se terminer cette année. En effet, il pourrait y avoir des problèmes affectifs ou des désillusions cette année, notamment pour les personnes ayant 25, 37, 49, 61 ou 73 ans. Des litiges sont probables avec la belle-famille si vous êtes âgé de 28, 40, 52, 64 ou 76 ans.

Santé ***
Voyages **

La santé est bonne en général, sauf si vous faites des abus. Le foie sera fragile et certains auront des problèmes de gorge. C'est le temps de faire du sport et d'avoir des loisirs. Votre moral est au beau fixe.

Les déplacements sont recommandés toute l'année.

Mois plus chanceux : février et juillet.

Mois plus difficiles : avril et octobre.

ANNÉE MONDIALE 3
(1983, 1992, 2001, ...)

Voilà une année créative, favorable pour les loisirs et les arts. Les gens dépensent davantage puisqu'ils sont plus optimistes.

Le cycle est donc bien choisi pour créer de nouvelles activités culturelles. Les échanges commerciaux et les communications sont aussi privilégiés.

Janvier (4) amour ** travail ** santé *

Vous ne sentez pas encore les courants positifs de cette année, à l'exception des 8, 17 et 26 qui seront agréables. Il y a peu de place pour les loisirs en ce mois de janvier où vous devrez besogner fort et accorder de l'importance aux détails.

Vous serez en mesure de concrétiser vos idées, mais les décisions devront être prises avec circonspection. Vous aurez peut-être également à produire un travail pour des amis.

Il n'y a rien de neuf à signaler dans la vie sentimentale, mais contrôlez votre impatience. À ce sujet, vous feriez mieux de chercher à atteindre une relation stable.

La santé pourrait vous préoccuper un peu, mais vous récupérerez vite.

Février (5) amour *** travail ** santé ***

Ce mois de février sera beaucoup plus facile que le précédent, d'autant plus que vous êtes dans une forme étonnante. Par ailleurs, les événements se plient à vos désirs et votre optimisme est au plus fort.

Les rencontres seront nombreuses et vous vous sentirez plus libre. De ce fait, vous serez porté aux excès de tous genres, surtout les 9, 18 et 27.

Étant donné que vous avez le goût de vous engager dans des voies inconnues et de sortir de la routine, vous aurez de la difficulté à vous structurer dans votre boulot. Des occasions se présenteront, mais la période demeure instable. Vous êtes quand même chanceux dans les jeux de hasard ainsi que dans vos allées et venues.

Mars (6) amour *** travail ** santé **

Au travail, le climat est au beau fixe. Votre imagination est féconde et cela vous sera utile. Vous pouvez en profiter pour redécorer votre intérieur.

Votre sensibilité est plus intense et vous voudrez échanger avec les autres. Il y a de l'amour dans l'air pour tout le monde, même si vous êtes moins ardent qu'en février. Vous pourriez passer des soirées divines en compagnie de l'être cher, particulièrement les 5, 14 et 23.

Partagez votre joie avec votre famille, car les enfants auront peut-être besoin de votre présence. Même des couples d'amis se tourneront vers vous pour être conseillés.

Avril (7) amour ** travail * santé *

Voici une étape qui vous paraîtra plutôt ennuyante. Vous éprouverez l'envie d'être seul en avril; vous serez plus intellectuel que passionné. Vous serez même plus rêveur que d'habitude, principalement les 9, 18 et 27. Remettez les questions financières au mois de mai et développez de préférence votre vie spirituelle.

Votre esprit d'analyse est à son meilleur et cela pourrait contribuer à l'avancement de votre carrière. C'est par-dessus tout le temps de faire une pause et de réfléchir à vos plans pour le reste de l'année. Il est sage de ne rien précipiter.

Occupez-vous des questions de santé qui requerront votre attention ou faites un voyage de repos. Vous devriez entreprendre une cure de désintoxication en ce début de printemps.

Mai (8) amour * travail ** santé ***

En mai, vous serez beaucoup plus dynamique que lors du mois dernier. Votre énergie remonte en flèche, mais méfiez- vous de votre impétuosité.

Vous aurez des défis à relever, mais vous pourrez compter sur des appuis. Pour augmenter votre prestige personnel, vous serez porté à rechercher la compagnie de gens influents. Des déplacements pour vos fonctions ou vos finances sont à prévoir, en particulier les 6, 15 et 24.

Sur le plan affectif, c'est un peu moins au beau fixe. Vous cherchez trop à imposer votre point de vue. L'obstination ne vous mènera nulle part. De plus, vous recevrez plusieurs invitations, mais vous aurez des services à rendre. Préparez-vous donc à des dépenses et surveillez votre budget.

Juin (9) amour * travail ** santé **

Juin sera profitable si vous exercez une profession en rapport avec le public ou dans le milieu des arts. Non seulement vous pourrez conclure de bons arrangements au travail, mais vos collègues rechercheront votre opinion.

Votre vie privée vous tracassera, étant donné qu'une amitié ou un amour se terminera peut-être. Par conséquent, cela minera votre optimisme. Vous serez plus malheureux les 9, 18 et 27.

Le mois est tout à fait indiqué pour partir en voyage ou, à tout le moins, pour prendre des vacances.

Juillet (1) amour ** travail *** santé ***

La vie professionnelle s'améliorera probablement grâce à vos relations sociales en juillet. Les chances d'avancement sont bonnes, surtout les 7, 16 et 25. C'est lc moment idéal pour faire passer vos idées et pour démarrer les projets qui vous tiennent à cœur. Il y a ainsi une possibilité de signature de contrats.

La chaleur réchauffe les âmes et des liens amoureux nouveaux pourraient se créer. L'harmonie régnera dans votre vie affective.

Vous serez en grande forme et vous serez comme métamorphosé intérieurement.

Août (2) amour ** travail * santé **

Ce mois vous semblera plus calme que juillet, mais il y aura malgré tout des hauts et des bas dans vos occupations. Vous serez optimiste et vos intuitions vous guideront. En outre, vous n'avez qu'à attendre; on pourrait vous faire des propositions intéressantes.

Toutes les associations sont favorisées, en amour comme en affaires, si vous contrôlez votre grande émotivité. Vous aurez tendance à vous faire des montagnes avec des riens et vous avez moins de vigueur que le mois passé.

Vous apprécierez tout particulièrement les soirées à deux, notamment les 9, 18 et 27. La compagnie de vos amis vous sera aussi indispensable en août.

Septembre (3) amour ** travail ** santé **

En septembre, vous participerez à plusieurs entreprises à la fois et il ne faudrait pas trop gaspiller vos forces en tournant en rond. Faites attention de ne pas trop vous éparpiller, car votre mental sera agité, surtout les 8, 17 et 26.

Je vous suggère d'avoir un passe-temps artistique pour vous détendre l'esprit ou de vous promener. En effet, au lieu de conserver votre forme, vous êtes sur pente descendante.

D'une manière ou d'une autre, votre charme agit sur votre entourage et cela vous apportera la réussite. La vie mondaine vous attirera et des personnes vous demanderont de l'aide. Vous aurez le don de vous faire remarquer partout où vous irez. À l'opposé, des petites disputes pourraient avoir lieu avec les gens près de vous.

Octobre (4) amour * travail ** santé *

Rien n'apparaît simple en octobre. Vos communications avec les proches seront tendues et ce n'est pas le moment de solliciter des faveurs.

Vous aurez à fournir beaucoup d'efforts pour réaliser vos rêves et votre vitalité s'en ressentira. C'est le temps de consolider les actions amorcées dans les mois antérieurs. Cela vous facilitera le travail pour l'année qui vient.

Si possible, offrez-vous quelques jours de congé, surtout les 3, 12, 21 et 30. Il est essentiel de bien doser vos périodes de labeur et de repos.

Novembre (5) amour *** travail ** santé ***

Bien que ce mois de novembre soit rempli d'expériences excitantes, vous n'en profiterez pas au maximum. Il vous reste du boulot à finir. Vous devez poser des fondations solides pour les prochains mois et les journées des 8, 17 et 26 seraient appropriées pour cela. Vous aurez l'impression que les événements vont trop vite et vous en serez essoufflé.

De plus, les activités sociales seront fréquentes et vous n'aurez pas le goût de travailler. Des aventures sentimentales pourraient avoir lieu et votre charme s'en trouvera amplifié. Vous trouverez que la vie est belle.

En revanche, votre état d'excitation vous occasionnera peut-être des mésaventures dans vos déplacements qui seront multiples. Essayez de vous modérer un peu, même si votre résistance physique est élevée.

Décembre (6) amour *** travail ** santé **

Vous visiterez beaucoup de gens et les réunions sociales seront positives en décembre. Il serait bon de vous rapprocher de certains membres de votre famille et de recevoir les vôtres cette année. Il faut que vous pensiez aux autres, sinon les circonstances vous y contraindront.

En ce qui concerne votre vie intime, vous baignerez dans une atmosphère de douceur et de tendresse. Vous verrez encore la vie en rose.

Dans l'ensemble, la vie professionnelle se déroule bien et des ententes pourraient se signer. La seule ombre au tableau est que vous commencez peut-être à percevoir le surcroît de travail que vous aurez à fournir dans l'année qui vient.

ANNÉE 4

STABILISATION

L'ambiance de cette année sera bonne ou mauvaise, puisqu'elle est le résultat de ces trois dernières années.

Travail **
Argent *

Comme l'an dernier, certains d'entre vous auront une promotion dans leur carrière, au mois de juin en particulier. Ce sera sûrement le cas pour les personnes qui ont 24, 36, 48, 60 ou 72 ans. Par contre, plusieurs trouveront que leur travail est contraignant, mais tenez le coup jusqu'à l'an prochain.

Évitez le changement: le succès sera obtenu grâce à la persévérance. Vous devez chercher à atteindre une situation stable, car c'est le temps d'établir des bases solides. Ne vous fiez pas à la

chance. Ce n'est pas la bonne période pour vous reposer; vous aurez encore beaucoup d'efforts à fournir jusqu'au mois d'octobre.

En revanche, c'est l'année parfaite pour ceux
qui œuvrent en administration. Le cycle est aussi
favorable pour acheter, surtout au mois de juin, ou
pour vendre, surtout en mai. Toutefois, ne faites
pas de spéculations. Vos dépenses doivent être pla-
nifiées. Des problèmes matériels sont à prévoir si
vous êtes âgé de 23, 35, 47, 59 ou 71 ans.

Amour *
Social

Vous pouvez vivre des tensions dans votre vie
sentimentale créant un risque de rupture, particulièrement au printemps. D'un autre côté, les liens
affectifs vraiment sérieux se maintiendront. Soyez
attentionné envers votre entourage. L'année est
bien meilleure pour les amitiés. Pour les célibataires, le début de l'année sera tranquille, mais la fin
est propice à une nouvelle rencontre.

Santé *
Voyages *

Vos proches ou vous-même pouvez avoir des
problèmes de santé physiques ou une intervention
chirurgicale, notamment si vous êtes âgé de 19,
31, 43, 55, 67 ou 79 ans. Il y a aussi des risques
de blessures pour les personnes ayant 17, 29, 41,
53, 65 ou 77 ans.

Pensez à faire de l'exercice physique pour activer votre circulation et assouplir vos articulations. Il serait conseillé aussi de prendre de courtes vacances. Il vous faut avoir une bonne hygiène de vie, compte tenu qu'une baisse de vitalité est probable. Vous pouvez souffrir de divers maux causés par le stress et le surmenage.

Les voyages d'affaires sont recommandés en tout temps. Pour les autres sortes de voyages, faites-les plutôt en mars, mai ou décembre.

<u>Mois plus chanceux</u> : août et octobre.

<u>Mois plus difficiles</u> : mars et septembre.

ANNÉE MONDIALE 4
(1984, 1993, 2002, ...)

C'est une année de limitations et de restrictions, particulièrement sur le plan monétaire. Néanmoins, elle est favorable pour la consolidation des projets, car on doit miser sur la stabilité et la sécurité.

Des réformes dans le monde du travail pourraient se produire durant cette étape. La vibration 4 influence principalement les secteurs des mines et de l'agriculture, et le domaine de la construction.

Janvier (5) amour ** travail ** santé ***

Heureusement, l'année commence lentement. Vous n'avez pas le goût de vous discipliner en janvier, mais il ne faudrait pas négliger votre boulot pour autant, en particulier les 8, 17 et 26. Ne traitez pas non plus de sujets légaux ce mois-ci.

Vous avez encore envie de sortir et de rencontrer des gens, et l'entente continue à être bonne avec les intimes.

Des déplacements sont à prévoir ainsi que du changement dans vos activités en ce début d'année. Par conséquent, plusieurs imprévus pourront vous distraire de vos buts et cela vous déroutera un peu.

Sur le plan physique, tout est au beau fixe.

Février (6) amour ** travail ** santé **

L'atmosphère sera lourde en février, notamment les 7, 16 et 25. Votre jugement sera moins sûr au travail et vous pourriez avoir des responsabilités supplémentaires telles que remplacer un autre employé.

Des obligations familiales vous seront aussi imposées. Occupez-vous de ceux qui vous entourent et mettez vos intérêts de côté; vous n'avez pas le choix. D'ailleurs, vous ressentez un désir de sécurité et d'harmonie. La routine s'installe dans votre vie privée.

Les services que vous aurez à rendre seront peut-être de nature matérielle. De plus, vous devrez probablement exécuter des travaux dans votre maison. Vous serez donc très occupé.

Par bonheur, sans être en très grande forme, vous vous portez drôlement bien.

Mars (7) amour * travail * santé *

Ce mois de mars n'est pas meilleur que le mois d'avril, au contraire, mais les journées des 7, 16 et 25 seront plus divertissantes. Allez puiser des forces à l'intérieur de vous-même; votre santé n'est pas florissante. Le temps est toutefois approprié pour subir une intervention chirurgicale ou pour planifier un voyage.

Il faudrait bien équilibrer le travail et le repos. Analysez vos objectifs pour les mois à venir et ne forcez pas les événements. Une situation inattendue pourrait malgré tout se produire dans le secteur professionnel.

Le printemps s'annonce mauvais pour la vie amoureuse. La vie de couple sera aisée seulement si vous avez des affinités spirituelles. Vous avez de la difficulté à participer à des conversations trop réalistes.

Avril (8) amour * travail ** santé ***

Enfin, votre vitalité est à la hausse et vous serez hyperactif en avril. Il ne sera pas toujours facile de suivre votre rythme. Vous aurez également à prendre des décisions relativement à votre emploi.

Le domaine des finances dominera ce mois-ci, car la période est aux transactions. Même si des affaires d'argent peuvent se concrétiser, ne prenez pas de risques, surtout les 1er, 10, 19 et 28.

Quant aux rapports avec vos supérieurs et avec vos proches, ils s'avèreront plutôt difficiles. Évitez toute attitude intransigeante envers votre entourage si vous voulez maintenir la paix.

Mai (9) amour * travail * santé **

Voici le mois idéal pour un grand voyage. En outre, il y a des réussites possibles dans des sphères liées à l'étranger. Par contre, vous devrez vous adapter aux circonstances extérieures et faire preuve de patience.

Des contrats importants se concluront peut-être en mai, principalement les 8, 17 et 26. Cependant, il y a des risques de pertes d'argent et d'abus de confiance.

Le cycle n'est pas propice aux amours, puisque des ruptures peuvent se produire. Des transformations radicales pourraient ébranler votre style de vie.

Pourquoi ne penseriez-vous pas aux plus démunis que vous en cette période émotive?

Juin (1) amour * travail *** santé ***

Quelle amélioration dans le travail, comparativement au mois de mai! C'est réellement le moment d'être actif et de vous lancer dans de nouveaux projets. Vous pouvez donc mettre sur pied une nouvelle entreprise en juin. La réussite est là, mais vous aurez des efforts à fournir, notamment les 3, 12, 21 et 30.

Non seulement les relations personnelles seront assez tendues, mais vous aurez des décisions à prendre à ce sujet ce mois-ci.

À l'opposé, vous n'aurez pas à vous plaindre de votre santé. Finalement, ne dépensez pas inutilement votre énergie qui vous sera bien utile pour traverser les mois à venir.

Juillet (2) amour ** travail * santé **

Vous évoluerez dans un climat ambigu, en juillet. Votre vie privée vous apportera moins de tracas. En revanche, il pourrait y avoir encore des remises en question si vous n'êtes pas compréhensif.

Vous devrez être patient dans vos activités, parce que des délais peuvent surgir. Néanmoins, ce mois est favorable pour le travail en équipe et les associations, surtout avec des femmes. De plus, vous serez en mesure de négocier de nouvelles conditions de travail. En ce qui concerne vos finances, il y a peu de surprises.

Votre moral aura des hauts et des bas; vous serez morose. Consolez-vous, votre état de santé se remet lentement.

Août (3) amour ** travail ** santé ***

Vous respirez mieux en ce mois d'août et vous éprouvez du soulagement. Des problèmes trouveront une solution grâce à des gens que vous connaissez. Vos capacités de créateur seront sollicitées à maintes reprises. Vos rêves deviennent réalité et les préoccupations monétaires seront mises de côté.

N'ayez pas peur d'exprimer vos opinions, surtout les 9, 18 et 27. En effet, la communication avec l'être aimé s'améliore encore ce mois-ci; vous êtes davantage sur la même longueur d'ondes. Toutefois, quelques nuages obscurcissent encore le ciel. Vous aurez envie de prendre des bains de foule pour vous détendre l'esprit.

Prenez donc des vacances, d'autant plus que les déplacements sont favorisés! Le mois est parfait pour vous défouler et votre condition physique est excellente.

Septembre (4) amour * travail * santé *

Ce mois sera ardu et vous aurez l'impression que l'on vous met constamment des bâtons dans les roues. Les 1er, 10, 19 et 28 seront plus agréables. Essayez de retirer un peu de plaisir en vous adonnant à une occupation que vous aimez. C'est le temps de revoir votre budget et de vous organiser pour bâtir votre avenir.

Il y a une rechute dans votre vie affective. Soyez plus tendre avec votre conjoint si vous désirez que tout se passe bien.

Finalement, vous vous sentirez surmené. Pensez à prendre des vitamines et n'allez pas au-delà de vos capacités. Ne vous découragez pas, la fin du mois sera plus belle!

Octobre (5) amour ** travail ** santé ***

Vous avez davantage de liberté en octobre. Votre vigueur est revenue. Vous commencez à percevoir l'excitation de l'an prochain et votre existence pourrait changer. Vous développerez ainsi de nouveaux centres d'intérêt et vos activités prendront de nouveaux horizons. Ne relâchez pas vos efforts les 8, 17 et 26, même si vous n'avez pas le cœur à l'ouvrage.

Vous êtes plus sociable et vos contacts se font plus constructifs. Même votre vie à deux sera plus exaltante.

Vous devriez projeter une excursion; un changement d'air ne vous ferait pas de tort.

Novembre (6) amour ** travail ** santé **

Tout comme le mois de février passé, soyez disponible pour votre famille qui vous accaparera en novembre. En général, les rapports avec autrui seront compliqués. Vous vivrez quand même une relation intime agréable, même si la passion n'est pas toujours au rendez-vous.

D'une part, il serait préférable de raffermir les liens familiaux. D'autre part, vous pourriez utiliser vos ressources pour soulager les plus pauvres que vous à l'approche des fêtes.

Vous trouverez que les tâches sont lourdes à assumer dans votre emploi. Vous n'aurez pas beaucoup l'occasion de vous amuser ce mois-ci, ayant trop d'obligations, particulièrement les 9, 18 et 27 novembre. Votre vitalité en sera légèrement affaiblie. Par chance, l'année achève!

Décembre (7) amour * travail * santé *

Il ne faudrait pas vous attendre à une fin d'année agitée. Vous terminez plutôt cette étape assez fatigué. Songez de préférence à relaxer pendant la période des fêtes pour refaire le plein, car vous le méritez.

Les réjouissances ne seront pas nombreuses et vous n'êtes pas en état de faire des excès en décembre. Un voyage de repos serait bienvenu.

Vous pouvez vous joindre à un petit groupe d'amis. Être seul ne vous ferait pas de mal non plus, puisque vous préférerez fuir l'agitation et le bruit.

Une surprise de dernière minute pourrait survenir sur le plan professionnel. Cependant, ne prenez pas trop d'engagements. Je vous conseille de réviser vos positions et de faire le point sur l'année que vous venez de traverser.

ANNÉE 5

MOUVEMENT

L'année 5 est une année charnière, car elle se situe au milieu du cycle.

Travail **
Argent **

Comme vous êtes dans une phase de transition, vous ressentirez beaucoup plus de liberté cette année. Si vous n'êtes pas satisfait d'une situation, c'est le moment d'y remédier. Sinon, ne faites pas de changements inutiles. Par ailleurs, même si vous ne le désirez pas, attendez-vous à des bouleversements et à des imprévus au travail, particulièrement dans la seconde partie de l'année. Certains ne sauront plus sur quel pied danser, surtout ceux qui sont âgés de 19, 27, 31, 39, 43, 51, 55 ou 63 ans.

Profitez de cette vibration pour investir dans la publicité et pour vous faire connaître. Le temps est plus propice à l'expansion qu'à l'instauration de nouveaux projets qui pourraient s'avérer de courte durée. Vous pouvez constater une amélioration de vos finances à ce stade-ci, si vous contrôlez votre impulsion et votre goût du risque. Des gains inattendus sont probables si vous avez 17, 29, 41, 53, 65 ou 77 ans.

Amour **
Social

La vie sentimentale et la vie sociale seront mouvementées. Les personnes âgées de 20, 32, 44, 56 ou 68 ans seront les plus gâtées. Votre magnétisme est au plus fort et des aventures amoureuses se présenteront. Vous êtes aussi dans une phase de fécondité. Les rencontres seront fréquentes pour les célibataires, mais plus durables à la fin de l'année.

Les gens déjà en couple voudront du renouveau dans leur vie quotidienne et auront des tentations. Pour ces raisons, des unions précaires se briseront cette année. Des ruptures sont possibles surtout si vous êtes âgé de 21, 33, 45, 57 ou 69 ans.

Santé ***
Voyages **

Votre santé est florissante. Cependant, vous pouvez être porté à faire des excès dans les plaisirs de la vie et vos sens seront en éveil. Attention, vos organes sexuels seront vulnérables cette année. Les énervements à venir risqueront également de vous attirer de petits accidents.

Si vous n'avez pas pris beaucoup de vacances ces dernières années, c'est le temps idéal pour cela. En outre, tous les déplacements sont protégés. La période est vraiment excellente pour connaître de nouvelles expériences et pour vous changer les idées.

<u>Mois plus chanceux</u> : mai et juillet.

<u>Mois plus difficiles</u> : avril et août.

ANNÉE MONDIALE 5
(1985, 1994, 2003, ...)

La vibration 5 engendre une période d'expansion au cours de laquelle de nombreux changements surviennent. Des revirements de situation sont possibles et des modifications de structures sont à prévoir. Le monde est en transformation.

Les gens désirent aussi se divertir et le domaine des transports occupera une place importante. Le secteur des voyages et des communications ainsi que les activités commerciales sont favorisés. La sexualité et la drogue seront peut-être des sujets d'actualité.

Janvier (6) amour ** travail ** santé **

L'année commence sans grand éclat. L'emphase doit être mise sur votre vie à deux ou sur les activités familiales en janvier. De légers désaccords surviendront peut-être dans les couples, mais l'entente est nettement meilleure que le mois précédent. Vous êtes plus à l'écoute de l'être cher.

Même si vous devrez faire preuve de souplesse dans vos relations personnelles, l'ambiance est plus chaleureuse qu'au mois de décembre. À ce sujet, quelques soirées passées en famille ne vous feraient pas de tort, surtout les 9, 18 et 27.

Il pourrait y avoir un surcroît de responsabilités au travail. Toutes ces tensions affecteront probablement votre santé dans le futur. Heureusement, la fatigue du mois dernier s'est atténuée. Faites des changements dans votre foyer pour vous changer les idées.

Février (7) amour ** travail * santé *

Ce mois d'hiver sera le plus calme de l'année, à l'exception des 7, 16 et 25 qui seront plus agités. Vous aurez moins le désir de sortir et de voir des gens, et pas seulement à cause du froid; vous vous sentez faible. Ménagez-vous le plus possible en février ou fuyez.

Le climat n'est pas mauvais, mais vous ne vous sentez pas autant romantique qu'au mois de janvier et vous sombrez dans une sorte d'inquiétude. Une liaison amoureuse secrète pourrait malgré tout voir le jour.

Cette étape est particulièrement propice à la réflexion et aux études. À cet égard, votre évolution spirituelle prendra un nouvel élan. Votre carrière est sur la bonne voie, à condition que vous ne forciez rien. Vous aurez peut-être à faire bénéficier les autres de vos connaissances ou à prouver votre savoir-faire.

On ne peut pas dire que ce mois soit mémorable!

Mars (8) amour * travail ** santé ***

À l'exception de votre vie privée, le mois de mars augure bien. Contrôlez vos pulsions et apprenez à vous dominer. Vous avez tendance à juger trop vite certains faits.

Vous sortez de votre torpeur avec un regain d'énergie. Ce cycle sera dynamique avec des changements rapides, notamment les 6, 15 et 24.

La vie professionnelle sera très active, mais l'équilibre financier sera instable. Vous pouvez tout de même avoir de la veine à la loterie et dans les spéculations.

Défoulez-vous dans les sports, mais prenez garde aux blessures. Des interventions chirurgicales pourraient avoir lieu.

Avril (9) amour * travail * santé **

Vous chercherez certainement l'évasion en avril, d'autant plus que cette étape est très favorable aux voyages et aux rencontres à l'étranger.

Il y a un danger d'instabilité dans vos occupations, mais des démarches finiront par aboutir. De nouvelles ouvertures pourraient se présenter, surtout les 1er, 10, 19 et 28.

Afin de prévenir de petits accidents, essayez de maintenir un rythme de vie plus modéré.

La situation continuera de se détériorer entre vous et l'être aimé. Si vous ne respectez pas la liberté de l'autre, vous vous exposerez à d'importants conflits. .

Mai (1) amour ** travail *** santé ***

Les soucis qui se sont abattus sur vous en avril disparaîtront comme par enchantement. Au mois de mai, vous êtes dans une vibration d'expansion.

N'ayez pas peur d'aller de l'avant, en particulier les 9, 18 et 27. Un renouveau pourrait se produire dans votre emploi. Vos réalisations seront multiples, compte tenu de votre résistance plus grande.

Même votre vie sentimentale sera excitante. Vous vivrez probablement des passions intenses et des coups de foudre. En revanche, les engagements seront pour la plupart superficiels et de courte durée; ce seront plutôt des feux de paille. Si vous êtes marié, vous aurez à contrôler votre soif d'indépendance.

Juin (2) amour ** travail * santé **

En juin, le contexte sera très instable et vous devrez lutter pour avoir votre place au soleil. Soyez vigilant afin de ne pas commettre d'erreurs dans votre travail. Par bonheur, votre intuition vous permettra d'entrevoir de nouveaux débouchés.

Les rapports avec l'entourage auront des hauts et des bas. Des doutes vous assailleront, principalement les 9, 18 et 27. Des problèmes ou des excès sexuels pourraient survenir, à cause de votre état mental perturbé.

En dépit de tout cela, votre vie amoureuse est sur la bonne voie. Un rendez-vous agréable est possible et les soirées de confidence vous attireront plus que les soirées de divertissement.

Juillet (3) amour *** travail ** santé ***

En ce mois d'été, le soleil brille à l'extérieur et dans votre vie. Des actions porteront fruit et vous serez épaulé. Vous avez envie de bouger et de voir des gens, et ce goût sera encore plus accentué les 2, 11, 20 et 29. Il y a tellement d'idées qui germent dans votre tête que vous ne savez plus par où commencer.

En outre, la chance vous sourit sur plusieurs plans : les jeux de hasard, les déplacements et la vie sociale. Tout viendra vers vous comme par enchantement.

Par-dessus tout, la vie à deux est harmonieuse. Si vous êtes célibataire, sortez car vous ferez peut-être la connaissance de la personne de vos rêves.

Vous serez très en demande en juillet : les invitations fuseront de toutes parts. Profitez-en, vous êtes en dans une forme resplendissante!

Août (4) amour * travail ** santé *

En août, vous risquez d'avoir des ennuis divers si vous avez fait des excès au mois de juillet. Des tracas financiers pourraient surgir et il faudrait mettre de l'ordre dans vos papiers. Vous devrez travailler fort et vous n'en aurez ni le goût ni l'énergie, surtout les 3, 12 et 21. En effet, vous êtes beaucoup moins vigoureux que vous l'étiez le mois passé.

Les éléments extérieurs vous sembleront un peu contraignants; vous ne serez pas en mesure d'agir à votre guise. Toutefois, attendez-vous à quelques nouveautés dans votre milieu de travail ou à des changements positifs.

Le conte de fées du mois dernier est fini. Des désaccords sont probables dans votre vie sentimentale à cause d'objectifs différents. D'ailleurs, vous êtes plus préoccupé par le concret ce mois-ci que par la romance.

Septembre (5) amour ** travail ** santé **

Quel mois de septembre mouvementé! Vous remontez progressivement la pente et vous êtes en effervescence. Cette exaltation pourrait vous faire vivre des aventures amoureuses. La période est tout de même propice à la conception d'un enfant.

Des changements dans vos projets, qui surviendront à la dernière minute, nécessiteront des efforts d'adaptation de votre part. Votre esprit sera très agité, notamment les 6, 15 et 24; ne soyez pas trop inconstant.

Attention aux accidents, vos déplacements seront fréquents et vous serez impulsif! Ne brûlez pas la chandelle par les deux bouts, même si vous reprenez graduellement le dessus.

Octobre (6) amour ** travail ** santé **

Voilà un mois qui ressemble bien au mois de janvier. Des obligations familiales pourraient vous amener à modifier votre horaire de travail et à ralentir vos activités. Par conséquent, vous aurez à vous dépenser beaucoup pour vos proches en octobre, particulièrement les 9, 18 et 27.

Malgré tout, votre taux d'énergie se maintient. Vous ne vous portez pas mieux qu'en septembre, mais pas plus mal non plus.

Les plaisirs ne seront pas aussi intenses qu'au mois de septembre, mais si vous accordez la priorité à votre vie affective, le mois se déroulera sans anicroches. Sous cet angle, il faudra être à l'écoute des autres et être chaleureux. Essayez de trouver plus d'occasions pour être seul avec l'être cher.

Novembre (7) amour ** travail * santé *

En novembre, vous serez plus tranquille que d'ordinaire, sauf les 7, 16 et 25. Contrairement aux mois précédents, vous éprouverez le besoin d'être seul et de faire le point. Prenez soin de votre apparence, dorlotez-vous, le temps des fêtes arrive à grands pas!

D'une manière ou d'une autre, vous ressentirez probablement les abus du mois de septembre. Votre condition physique pourrait donc vous préoccuper.

Il serait bon de vous accorder des pauses pour réfléchir et pour vaquer à vos occupations favorites. Vous recevrez peut-être des révélations par la méditation. Un voyage serait également bien pensé.

De toute façon, l'activité sera moins forte dans le secteur professionnel.

Décembre (8) amour * travail ** santé ***

Voici un mois de décembre mémorable. Des imprévus arriveront et vous songerez à votre boulot pendant la période des fêtes. Vous serez peut-être même dans l'obligation de faire un voyage d'affaires. Des gains sont possibles, mais les rentrées d'argent seront en dents de scie.

Essayez de vous réserver des moments pour les vôtres, sinon vous nuirez à votre vie personnelle. Si votre raison prime sur vos sentiments, vous le regretterez dans les prochains mois. Utilisez votre dynamisme pour mettre de l'entrain dans les réunions de famille.

Alors que vous vous torturez l'esprit avec vos problèmes, votre santé reprend du mieux.

ANNÉE 6

HARMONIE

L'année 6 est une année harmonieuse qui vous permettra de reprendre votre souffle.

Travail **
Argent **

Cette année n'amène pas une évolution spectaculaire dans votre carrière. Les plus avantagés seront ceux qui œuvrent dans les milieux des arts et de la santé ou qui occupent une fonction de conseiller. Utilisez cette étape pour vous adapter aux changements survenus l'an passé ou pour vous réajuster dans vos activités.

Vous aurez des choix à faire ou vous assumerez des responsabilités différentes par rapport à votre travail. Les trois premiers mois sont à éviter pour réaliser de nouvelles entreprises.

Les problèmes d'argent importants sont rares durant une année 6, surtout si vous pensez aux autres. Vous pouvez accomplir des investissements immobiliers ou redécorer votre lieu de travail.

Amour ***
Social

Voilà l'année qu'attendaient les grands romantiques! L'année est réellement propice pour les rencontres sentimentales et les engagements à long terme. D'ailleurs, les célibataires âgés de 18, 30, 42, 54 ou 66 ans penseront à se stabiliser en amour.

Les personnes déjà en couple pourront raffermir leurs liens, peut-être après quelques ajustements. Les disputes durent rarement sous cette vibration. Si vous profitez de ce cycle pour témoigner de votre affection, sans étouffer votre partenaire, tout ira pour le mieux. Ceux qui ont 20, 32, 44, 56, 68 ou 80 ans seront les plus heureux dans le domaine affectif.

La vie familiale devient la préoccupation majeure et la famille s'agrandira peut-être cette année. C'est le temps favorable pour emménager dans un nouveau foyer ou pour modifier votre demeure, et cela pourrait fort bien vous arriver si vous avez 21, 33, 45, 57, 69 ou 81 ans. Vous pouvez donc mettre l'accent sur votre confort.

Les événements familiaux seront nombreux et ceux qui ont 28, 40, 52, 64 ou 76 ans devront être prudents dans leurs relations avec leur belle-famille pour éviter des tensions.

Des proches auront probablement besoin de votre aide, surtout si vous êtes âgé de 21, 25, 33, 37, 45, 49, 57, 61, 69 ou 73 ans. N'hésitez pas à les soutenir si on vous le demande. D'une manière ou d'une autre, vous serez possiblement lié par des obligations que vous devrez accepter, en particulier dans les quatre derniers mois de l'année. Les personnes âgées de 19, 31, 43, 55, 67 ou 79 ans pourraient avoir des ennuis avec des animaux domestiques.

Santé **
Voyages *

N'attendez pas pour consulter si vous avez des malaises pendant cette phase; vous serez sensible aux virus. Le cœur et la colonne vertébrale sont aussi les points faibles de l'année.

Cette période ne favorise pas beaucoup les voyages, à moins qu'ils soient vraiment nécessaires pour la famille ou les affaires. Si vous devez voyager, choisissez les mois de janvier, mars, octobre et décembre.

Mois plus chanceux : avril et juin.

Mois plus difficiles : mars et septembre.

ANNÉE MONDIALE 6
(1986, 1995, 2004, ...)

En année 6, des ententes entre des groupes ou des pays seront probablement signées. Il faut préciser que c'est une période de paix ou de conflits majeurs. On cherchera avant tout à s'accommoder des conditions existantes et à faire des compromis. Par contre, la coopération et les efforts communs seront essentiels pour en arriver à une conciliation.

L'éducation et la famille seront au premier plan cette année. Il pourrait aussi être question de sujets relatifs à l'immobilier et à la santé sous cette vibration.

Janvier (7) amour ** travail * santé *

Ce premier mois de l'année est propice à la réflexion. N'entreprenez rien d'important en janvier, sauf les 3, 12, 21 et 30. Vous venez de sortir d'une année mouvementée; pensez à en faire le bilan. Vous auriez tort de brûler des étapes. Vous êtes dans un cycle de préparation et de mise en place, plutôt que de réalisation.

Dans votre vie sociale, vous aurez le sentiment d'être parfois délaissé par votre entourage et cela vous découragera. Par contre, l'entente est de retour dans votre vie personnelle.

Vous êtes fatigué. Un peu de repos ou un séjour dans les pays chauds ne vous ferait pas de mal en cette période hivernale. Gâtez-vous un peu.

Février (8) amour * travail ** santé ***

En février, les questions financières seront omniprésentes. Vous vous tracasserez certainement si vous avez trop dépensé pendant le temps des fêtes. Sinon, tout ira bien sur ce plan et vous songerez à réaliser des projets, surtout avec votre famille ou avec l'élu de votre cœur. Les activités domestiques sont recommandées les 7, 16 et 25. Des dépenses sont donc probables.

Vos préoccupations seront principalement d'ordre matériel, mais des tensions sont quand même à craindre dans votre vie privée à cause de votre caractère maussade. Laissez les soucis de côté afin de ne pas détériorer vos liens amoureux. Par ailleurs, quelques ondes négatives viendront perturber votre vie familiale.

Heureusement, vous avez recouvré votre vitalité!

Mars (9) amour * travail * santé **

Vos émotions pourraient être sévèrement fouettées en mars. En effet, vous serez sollicité par vos proches. Des obligations familiales ralentiront votre travail, particulièrement les 6, 15 et 24. Ainsi, il faudrait vous contenter de finaliser vos projets déjà entrepris.

Des déceptions amoureuses sont à l'horizon et vous serez hypersensible. Néanmoins, les contacts humains seront très enrichissants; mettez en pratique l'amour inconditionnel.

Vous trouverez mille excuses pour fuir les ennuis quotidiens et, de ce fait, le mois est propice aux grands voyages. De plus, les communications avec l'étranger bénéficient d'influx positifs.

Avril (1) amour ** travail *** santé ***

Avril est le premier mois réellement important pour ce qui est de l'action, d'autant plus que vous êtes débordant d'énergie. Votre situation financière s'améliorera. Vos occupations reprendront avec de nouvelles tâches et vous aurez la capacité nécessaire pour les assumer, notamment les 9, 18 et 27.

Vous devrez surtout compter sur vous-même et le mois est chanceux pour les travailleurs autonomes.

Vous sortez d'une phase nostalgique qui vous rendait peu communicatif. Ce mois-ci, votre vie affective prendra une direction différente, plutôt plaisante que négative, et cela pourrait être causé par votre transformation intérieure. Cette situation donnera un souffle nouveau à votre union. Cette ambiance agréable se poursuivra durant les prochains mois.

Mai (2) amour ** travail * santé **

Ne vous attendez à rien de particulier sur le plan professionnel en mai, sauf si vous êtes un artiste. Vous aurez tendance à vous énerver pour des riens et votre rendement sera moins satisfaisant. Ne laissez pas votre nervosité prendre le dessus. Finalement, vous feriez mieux de remettre les questions matérielles à plus tard et de ne réaliser que les travaux essentiels.

Les satisfactions que vous ne trouverez pas au travail seront toutefois présentes dans vos fréquentations. Vous serez encore gâté sur le plan des sentiments. Si vous êtes seul, les rencontres seront facilitées, surtout les 1er, 10, 19 et 28.

Vous auriez intérêt à être plus souvent avec votre partenaire. Cela créerait une meilleure harmonie entre vous et la compréhension en serait d'autant meilleure. Des engagements à long terme pourraient d'ailleurs être pris.

Juin (3) amour *** travail ** santé ***

En ce mois d'été, votre créativité et votre vigueur sont à leur maximum. De plus, des relations professionnelles pourraient vous apporter des propositions alléchantes.

Vous êtes dans une phase sentimentale paisible, excellente pour concevoir un enfant. Si vous en avez déjà, ils vous apporteront des joies. Les célibataires feront des rencontres intéressantes.

Les échanges avec les autres seront profitables et votre vie sociale sera active en juin, surtout les 2, 11, 20 et 29. Vous aurez maintes occasions de vous distraire avec votre famille et les amis. Les déplacements sont à conseiller.

Juillet (4) amour ** travail ** santé *

Un seul aspect chose risque de vous empêcher d'être tout à fait bien dans votre peau en juillet : votre santé, qui est fragile.

Une période plus stable s'installe dans le travail, mais vous serez affairé malgré tout. Attention, ne surchargez pas trop vos journées, vous vous fatiguerez vite! Vous devriez ne rien planifier pour les 3, 12, 21 et 30, afin de vous détendre.

Le mois de juillet convient bien aux sujets sérieux. Votre côté pratique et votre côté émotionnel se livreront un combat intérieur. Je vous suggère de régler vos affaires de famille ou d'effectuer des modifications dans votre foyer.

Même si vos fonctions vous empêchent d'être aussi disponible que vous le désireriez, il faudrait allouer du temps pour ceux que vous chérissez. Sachez également vous adapter à votre entourage.

Vous pouvez consolider une relation, car votre désir de sécurité prévaut. Les gens libres devraient être très sélectifs dans leur choix amoureux.

Août (5) amour ** travail ** santé **

Autant le mois de juillet a été ardu, autant ce mois-ci sera agréable. Un vent de renouveau viendra balayer cette phase. Par ailleurs, le mois d'août serait parfait pour déménager. Le milieu de travail sera agité: prenez garde à des conflits avec vos collègues.

Votre soif de liberté pourrait nuire à votre vie de couple. En effet, vous ne serez pas souvent chez vous. Il y aura des possibilités d'aventures pour tout le monde.

En revanche, vous pourriez être sujet à de légers malaises psychosomatiques. Les 2, 11, 20 et 29 sont à surveiller en ce sens. Vous devriez vous distraire par des voyages d'agrément; c'est le moment de vous amuser.

Septembre (6) amour * travail * santé **

Vous entrez dans un cycle moins excitant que les semaines antérieures. Cette vibration sera assez difficile sur plusieurs plans, à moins que vous n'assumiez vos responsabilités. Vous aurez plus de latitude les 8, 17 et 26. Les rapports sociaux seront prédominants en septembre.

Les communications dans le milieu de travail seront encore mauvaises. Par contre, il y aura du succès dans le secteur des arts et de l'immobilier.

Les contraintes issues de la vie quotidienne pèseront lourd; des obligations familiales sont à prévoir. Vous serez dans l'obligation de faire des concessions et d'être plus tolérant envers votre conjoint. Des mésententes flottent dans l'air. Peut-être avez-vous exagéré le mois précédent?

De plus, vous pourriez avoir des petits maux de dos.

Octobre (7) amour ** travail * santé *

L'automne s'annonce pénible. Votre niveau d'énergie est bas et cela est en partie causé par votre attitude envers la vie. Il faudrait vous remettre en forme et vous accorder du repos. Faire un grand voyage ne serait pas une mauvaise solution. Pensez davantage à vous-même, vous avez vécu pour les autres durant toute l'année.

Une aventure amoureuse secrète verra peut-être le jour. Pour la majorité d'entre vous, un sentiment d'ennui vous envahira, principalement les 9, 18 et 27. Pourtant, les nuages qui s'étaient installés entre vous et l'être aimé se sont dissipés.

La vie professionnelle sera aussi peu marquante qu'elle l'a été au mois de septembre, mais vous devrez probablement démontrer vos capacités. Il serait préférable de réévaluer vos orientations et de ne pas insister si vous voulez faire avancer les choses plus vite.

Novembre (8) amour * travail ** santé ***

Le mois de novembre est favorable pour les transactions, surtout dans le domaine de l'immobilier. Si vous voulez faire des achats pour embellir votre foyer, allez-y! Les journées des 7, 16 et 25 seraient appropriées.

Vous devrez subir quelques épreuves Par exemple, des pressions vous seront peut-être imposées au travail. Par chance, votre capacité de récupération est excellente et vous pouvez dire adieu aux complications d'ordre physique pour les mois à venir.

La vie amoureuse passera en dernier lieu pour vous, mais vous aurez quand même des ajustements à faire. Votre caractère impulsif vous attirera des ennuis, étant donné que vous serez porté à agir sur des coups de tête.

Décembre (9) amour * travail * santé **

Ce Noël pourrait être différent des autres, car votre moral sera bas. En effet, vous vous ferez du souci pour vos proches. Certains ne seront pas présents cette année ou alors vous aurez des obligations familiales.

Au lieu de pleurer sur votre sort, réconfortez votre prochain. La priorité doit être mise sur l'amour universel, si vous voulez obtenir le bonheur en ce mois de décembre.

Il y aura encore des pressions de l'extérieur et il faudrait principalement achever les tâches en cours. Cela vous permettra de repartir sur un bon pied en janvier.

Si vos finances vous le permettent, un voyage au loin serait une idée géniale.

ANNÉE 7

INTÉRIORISATION

L'année 7 est une année de repos. Elle sera un peu plus active si vous êtes âgé de 24, 36, 48, 60 ou 72 ans.

Travail *
Argent *

Il est préférable de ne rien entreprendre de nouveau cette année. Tout ira au ralenti, surtout pendant les deux premiers mois. Freinez vos ambitions jusqu'à l'an prochain et faites plutôt une rétrospection. Il est aussi déconseillé de changer d'emploi.

Profitez de cette période pour prendre des cours, vous recycler ou vous perfectionner dans votre travail. En effet, cette phase favorise principalement les activités intellectuelles et psychiques.

Elle sera donc agréable pour les chercheurs, les étudiants, les médiums, etc. Si vous avez agi correctement ces dernières années, vous vivrez la paix intérieure et l'harmonie.

Cette étape est avant tout spirituelle et les matérialistes rencontreront des difficultés pour les obliger à prendre conscience de certains principes de la vie. Plus vous essaierez de gagner de l'argent, plus vous aurez des entraves. En revanche, l'argent ou les coups de chance pourraient arriver de manière inattendue pour ceux qui ont confiance. Suivez vos intuitions, qui seront fortes.

Amour **
Social

La vie affective sera agitée pour ceux qui ont 20, 32, 44, 56, 68 ou 80 ans. Les gens mariés pourront avoir des liaisons secrètes ou auront besoin de prendre du recul. Si vous êtes célibataire, le temps est approprié pour les unions, mais évitez les personnes déjà engagées. Cependant, la majorité d'entre vous éprouveront des sentiments de solitude durant l'année qui seront nécessaires à des prises de conscience.

Santé *
Voyages ***

Vous vous sentirez fatigué, autant moralement que physiquement, en particulier si vous êtes âgé de 25, 37, 49, 61 ou 73 ans. Si vous ne ralentissez pas, cela causera des déséquilibres dans votre organisme et vous tomberez malade.

Les points faibles de l'année sont les systèmes glandulaire et endocrinien.

Durant ce cycle, développez votre vie spirituelle et faites le point dans votre vie.

Prenez vos vacances dans des centres de santé ou faites des voyages qui sortent de l'ordinaire, par exemple des croisières, des safaris, etc. C'est le temps de prendre de longs congés et d'aller vous ressourcer dans la nature. Par-dessus tout, évitez de fuir dans l'alcool ou la drogue.

<u>Mois plus chanceux</u> : mars et décembre.

<u>Mois plus difficiles</u> : avril et septembre.

ANNÉE MONDIALE 7
(1987, 1996, 1005, ...)

Des découvertes pourraient être annoncées et des recherches entreprises sous cette vibration. On verra également apparaître de nouvelles technologies. Le monde scientifique fera par conséquent parler de lui.

Différents groupements à caractère religieux verront le jour. En effet, les gens seront plus portés vers la spiritualité et plus près de la nature.

En général, la période est plutôt calme et la prudence est de rigueur dans les affaires. D'ailleurs, on aura droit à quelques réévaluations sur le plan économique, en prévision de l'an prochain.

Janvier (8) amour * travail ** santé ***

Ce mois de janvier pourrait bien se dérouler, si ce n'était des tourments affectifs qui vous affligeront. De plus, les rapports humains seront assez difficiles. Vous sentez une grande force intérieure et vous aurez tendance à imposer vos idées.

En ce début d'année, vous avez également de la difficulté à vous ajuster à cette nouvelle vibration plus spirituelle. Vous réfléchissez surtout à des sujets concrets.

Réglez vos affaires importantes les 9, 18 et 27, car les prochains mois seront défavorables aux questions financières.

Vous êtes beaucoup plus vigoureux que le mois dernier.

Février (9) amour * travail * santé **

En février, ça ne bougera pas beaucoup sur le plan professionnel, et il serait préférable d'achever ce qui a déjà été commencé. Vous devez prendre votre mal en patience et vous concentrer sur l'essentiel. Vous aurez un peu plus de marge de manœuvre les 1er, 10, 19 et 28. En revanche, les projets sociaux et humanitaires sont bien appuyés à ce stade-ci.

Des tracas émotifs supplémentaires vous porteront à prendre vos distances en février. Malgré tout, il faut que vous ayez une pensée positive. Ne laissez pas les problèmes extérieurs venir troubler votre psychisme.

Compte tenu des conditions de ce mois, il serait opportun de vous envoler vers le sud ou de prendre des vacances.

Mars (1) amour ** travail *** santé ***

Tout joue en votre faveur ce mois-ci. Les influences dynamiques de ce mois de mars vous poussent à agir et vous avez un regain d'énergie. Songez à de nouveaux plans, car votre mental est vif. Un événement imprévu pourrait se produire au travail et vous ferez des pas en avant dans votre domaine.

Vous pourriez être attiré par de nouvelles philosophies de vie qui modifieront votre façon de penser.

Dans votre vie personnelle, il y a du progrès mais puisque votre désir d'indépendance est fort, des mises au point devront être faites. Il faudrait que vous preniez soin de votre douce moitié, spécialement les 1er, 10, 19 et 28.

Avril (2) amour * travail * santé **

En avril, vous vivrez dans un contexte d'incertitude et le climat se détériore à nouveau. Vous avez le cœur romantique, mais attention de ne pas être désillusionné! Si vous n'avez pas d'affinités spirituelles avec votre conjoint, des tempêtes affectives s'abattront sur vous.

Par surcroît, votre vie intime pourrait être perturbée par des épreuves. Vos fréquentations amicales seront meilleures et vous ne devriez pas rester seul pendant cette période. Il serait bon de vous retirer dans un endroit tranquille avec un être aimé. Les journées des 9, 18 et 27 seraient idéales pour cela.

Sur les plans professionnel et financier, tout est assez calme et au ralenti. Vous regrettez que vos projets n'avancent pas aussi vite que le mois passé. Occupez-vous plutôt de votre vie intérieure.

Vous devrez maîtriser vos émotions afin de préserver votre santé.

Mai (3) amour **   travail ** santé ***

Voici un mois plus plaisant. Votre inspiration est forte et vous pourriez remarquer une augmentation de vos gains, bien que ce domaine soit instable.

Les activités mentales et socio-culturelles sont davantage favorisées. Ainsi, vous serez probablement appelé à participer à des discussions intéressantes au cours desquelles vous pourrez vous faire valoir.

Les réunions amicales, avec des échanges surtout intellectuels, seront nombreuses. Néanmoins, il y aura encore des divergences d'opinion pour certains couples. La situation a quand même progressé comparativement au mois d'avril.

Sortez de votre coquille et décompressez un peu en mai. Votre condition physique est excellente et vous devriez faire du sport ou des randonnées, en particulier les 9, 18 et 27.

Juin (4) amour ** travail ** santé *

Vous serez plus terre à terre en juin, à cause de contraintes matérielles. Il existera un conflit entre votre côté spirituel et votre côté pratique.

La vie professionnelle sera peut-être marquée par des accords inespérés. Toutefois, vous aurez beaucoup d'efforts à fournir dans votre boulot. Vous êtes en train d'établir des bases solides pour l'avenir.

En ce qui a trait aux sentiments, il y aura peu de changement pour les gens qui vivent ensemble depuis longtemps. Cependant, la solitude pourrait devenir pesante pour les personnes seules. Extériorisez-vous plus, notamment les 8, 17 et 26.

Vous percevrez des signes de fatigue et vous aurez des décisions à prendre à propos de votre santé. Voyez-y, la maladie vous guette!

Juillet (5) amour ** travail ** santé ***

Juillet sera plus animé que les autres mois et il sera propice aux découvertes. Vous avez repris du mieux et vous sentirez un besoin de changement intérieur et d'évasion.

Pour ces raisons, les loisirs seront importants. Vous serez très pris. Ne délaissez pas votre travail! L'inattendu ne fera pas défaut non plus.

Vous aurez envie de liberté et certains penseront à se séparer sur un coup de tête. À l'inverse, les célibataires feront des rencontres facilement, surtout les 9, 18 et 27.

Les déplacements sont recommandés ce mois-ci.

Août (6) amour ** travail ** santé **

En août, il n'y a rien de spécial à signaler en ce qui concerne le travail, sauf quelques choix à faire. Vous accomplirez votre petit train-train quotidien. Si vous êtes trop matérialiste, des obstacles pourraient surgir.

Vous prenez les problèmes de la famille à cœur; ne soyez pas trop exigeant avec vos proches. Les tracas de la vie courante vous pèsent un peu trop. Vous devriez vous défouler les 8, 17 et 26.

Même si c'est moins palpitant que le mois précédent, vous aurez droit à des instants savoureux avec l'être cher. Vous n'aurez presque pas besoin de parler pour vous comprendre. Vous ressentirez des frustrations dans votre vie amoureuse seulement si vous recherchez trop la perfection.

Septembre (7) amour * travail * santé *

Évitez de traiter des questions financières en septembre, sinon vous pourriez avoir des pertes d'argent. Reportez vos investissements au mois d'octobre. Il faudrait vous livrer de préférence à des occupations de nature intellectuelle: littérature, recherches, etc. Pourquoi ne pas vous inscrire à un cours cet automne?

Pour ce qui est de votre vie intime, le sort vous favorise moins que les derniers mois. Elle vous occasionnera des soucis, étant donné que le dialogue ne sera pas bon, principalement les 9, 18 et 27. Trouvez du réconfort dans la spiritualité ou allez visiter des contrées lointaines ce mois-ci.

De plus, vous devriez être davantage à l'écoute de votre corps, car votre tonus est à la baisse. Faites au moins des promenades à l'extérieur.

Octobre (8) amour * travail ** santé ***

Contrairement au mois de septembre, les vibrations sont plus positives. Vous retrouvez votre forme physique et morale. Vous refaites surface et vous commencez à quitter cet état méditatif qui inquiétait votre entourage. Finalement, vous serez encore un peu tiraillé entre les poursuites matérielles et les richesses spirituelles.

De toute manière, vous êtes dans une période chanceuse. Profitez-en pour consolider des projets en octobre, particulièrement les 5, 14 et 23. Vous pouvez accomplir des transactions, si vous n'êtes pas capable d'attendre l'an prochain.

Votre vie affective sera reléguée au second plan, parce que vos préoccupations seront surtout d'ordre financier. Cette attitude détériorera vos liens avec les intimes.

Novembre (9) amour * travail * santé **

Vous vivrez des émotions intenses au cours de ce mois de novembre et, tout compte fait, le moment serait bien choisi pour un grand voyage à l'étranger.

Dans votre vie privée, la situation a continué à se détériorer. En fait, un concours de circonstances pourrait vous forcer à faire des activités en solitaire, peut-être les 7, 16 et 25.

Heureusement, des affaires compliquées trouveront un dénouement et des actions que vous avez amorcées aboutiront enfin. Les rapports avec le public ou la communauté sont fortement encouragés.

Réjouissez-vous, tout ira mieux en décembre.

Décembre (1) amour ** travail *** santé ***

Quelle merveilleuse fin d'année! Vous êtes dans un mois de transition et les influences réalistes de l'année qui vient vous poussent à aller de l'avant. Tous les espoirs sont permis, puisque vos conditions de travail pourraient aussi s'améliorer d'elles-mêmes.

Ne négligez pas votre spiritualité, même si vous avez juste le goût de dépenser ce trop plein d'énergie.

Il faudrait sortir de votre isolement et aller vers les autres. Les relations sociales seront harmonieuses durant la période des fêtes. En somme, seul un léger manque de communication persistera avec votre partenaire.

ANNÉE 8

CONCRÉTISATION

La vibration 8 est avant tout matérielle et vous devez garder l'équilibre dans tous les domaines. De plus, la vie extérieure vous accaparera beaucoup.

Travail **
Argent **

Vous êtes plus occupé que l'an passé. Des projets se réaliseront grâce à l'appui de votre entourage, notamment si vous avez 26, 38, 50, 62 ou 74 ans. Ce n'est pas le moment de chômer; vous devrez être énergique. Les meilleurs mois pour réaliser des affaires sont février et novembre.

La première partie de l'année est favorable pour la spéculation et les transactions, surtout pour acheter mais pour vendre aussi. Les investissements à long terme sont préférables. Quant à la seconde partie, réglez les affaires courantes et organisez vos finances.

Après une période de réflexion, vous récoltez le bon et le mauvais que vous avez semés au cours des années antérieures. Des pertes financières sont donc probables pour certains. La loi du retour s'applique durant cette phase.

Plusieurs opportunités se présenteront malgré tout cette année, particulièrement pour les personnes qui sont âgées de 22, 34, 46, 58, 70 ou 82 ans. De plus, un héritage est possible pour ceux qui ont 17, 29, 41, 53, 65 ou 77 ans.

Votre pouvoir personnel pourrait augmenter. Les procès peuvent être gagnés, mais évitez d'attirer la foudre sur vous par un comportement arrogant. Ne jouez pas avec le feu.

Amour *
Social

La vie affective n'est pas marquante cette année, sauf si vous avez 18, 30, 42, 54, 66 ou 78 ans. Il est conseillé d'agir avec douceur dans vos rapports avec les autres durant cette période. Les problèmes sentimentaux doivent être réglés, sinon vous vivrez peut-être une rupture l'an prochain. Il peut quand même y avoir des séparations cette année ou des choix à faire, et les risques sont plus grands si vous êtes âgé de 21, 33, 45, 57 ou 69 ans.

Vos élans passionnels seront intenses. Les plus heureux en amour seront ceux qui ont 20, 32, 44, 56, 68 ou 80 ans. Les mariages d'argent sont possibles à ce stade-ci.

Santé ***
Voyages *

Surveillez votre alimentation, car votre digestion est plus lente. Vous pourriez avoir des douleurs musculaires ou divers petits maux à cause d'imprudences. Cependant, la santé est bonne dans l'ensemble, même si vous n'avez guère le temps de vous en occuper.

Le cycle est neutre pour les voyages en général, mais les déplacements pour affaires sont favorisés.

Mois plus chanceux : février et novembre.

Mois plus difficiles : août et octobre.

ANNÉE MONDIALE 8
(1988, 1997, 2006, ...)

Les questions financières seront à l'ordre du jour en année 8 et on entendra probablement parler de la Bourse. Des investissements importants sont faits durant ce cycle. La productivité augmente pour certains, tandis que d'autres font faillite. La tendance va malgré tout vers une reprise de l'économie.

Des gens à la recherche de pouvoir feront la manchette, surtout dans le milieu de la justice. De nombreuses vérités éclateront au grand jour. Le climat sera davantage à la confrontation ouverte qu'aux concessions. Il pourrait y avoir d'avantage de famines, d'épidémies...

Janvier (9) amour * travail * santé **

L'atmosphère est très émotive en ce début d'année. Votre vie amoureuse vous apportera des tracas. Un grand vide s'installera dans votre cœur.

En outre, vous pourriez éprouver des difficultés sur le plan financier à cause d'autres personnes. Ne mettez sur pied aucun nouveau projet avant le mois prochain, même si vous en avez envie, à l'exception des 1er, 10, 19 et 28 janvier.

Les actions orientées vers le bien-être de l'humanité sont recommandées. Vous pouvez aussi envisager un grand voyage, vous ne le regretteriez pas.

Février (1) amour ** travail *** santé ***

Février sera un mois rempli de rebondissements de toutes sortes. Après la pause nécessaire du mois de janvier, la priorité doit maintenant être mise sur le côté matériel. Soyez à l'affût des occasions! Les circonstances évolueront rapidement et vos finances s'amélioreront.

Vous pouvez donc faire des achats ou signer des contrats. De grandes réalisations concrètes sont possibles. Il y a même une chance d'avancement dans votre profession.

De plus, votre vie sentimentale prend un tournant positif et vous débordez d'énergie. Ralentissez quand même un peu les 6, 15 et 24.

Mars (2) amour *** travail ** santé **

Vous conserverez un doux souvenir de ce mois de mars. Votre travail ne vous apportera que des satisfactions. Même s'il y a des fluctuations ou de la lenteur, votre bonne étoile vous protégera. Vous pouvez encore négocier des contrats; fiez-vous à votre intuition qui est forte.

De grandes joies vous attendent dans l'intimité. Le temps est propice aux unions et aux activités à deux, notamment les 9, 18 et 27. Certains verront même leur condition monétaire s'améliorer grâce à leur conjoint.

Attention de ne pas être trop tendu et ne laissez pas les craintes envahir votre esprit.

Avril (3) amour ** travail ** santé ***

En avril, des développements pourraient se produire dans votre carrière grâce à des contacts de haut niveau. Vous participerez à de multiples occupations. Vos idées germeront comme les bourgeons dans les arbres. Les rapports commerciaux seront meilleurs que les rapports personnels.

La vie de couple sera effectivement un peu moins agréable; quelques discussions sont prévisibles. Toutefois, le cercle de vos relations s'agrandira et vous aurez droit à de belles preuves d'amitié.

Vous êtes plein de vigueur, faites donc des sorties à l'extérieur, spécialement les 2, 11, 20 et 29. Il faudra en revanche contrôler vos dépenses, qui seront nombreuses.

Mai (4) amour * travail ** santé *

Vous vivrez un mois de mai de grande activité en ce qui concerne votre emploi. L'efficacité et la détermination seront récompensées. Vous continuez sur votre lancée des mois précédents.

Soyez sur vos gardes, on peut essayer de vous nuire! Des rentrées d'argent sont quand même probables, si vous vous préoccupez des détails.

L'entente amoureuse ne sera pas facile. Vous aurez l'impression que la malchance s'abat sur vous dans ce domaine. Vous ne connaîtrez pas le même succès que le mois passé, en société. Les journées des 8, 17 et 26 seront plus harmonieuses.

Ces soucis se répercuteront sur votre physique et des examens médicaux pourront s'avérer nécessaires. Il y a également des possibilités de petites blessures corporelles.

Juin (5) amour ** travail ** santé ***

En juin, vous êtes dans un cycle de prospérité sur le plan financier. Vous pourriez faire des profits ou des gains à la loterie. Cependant, évitez de dépenser à la légère; surveillez votre budget.

En amour, vous vivrez peut-être des coups de foudre. Votre vitalité étant puissante, vos passions seront très intenses. Maîtrisez vos pulsions, sinon vous vous attirerez des problèmes.

Le moment n'est pas approprié pour subir une opération chirurgicale et il y a un risque de blessures liées à votre insouciance. Veillez à contrôler votre hyperactivité les 9, 18 et 27.

Il faudrait vous distraire et quelques jours de vacances seraient bien mérités. D'une manière ou d'une autre, vous aurez l'occasion de vous déplacer.

Juillet (6) amour ** travail ** santé **

Vous vous sentirez pris entre deux feux au mois de juillet: les sentiments et la carrière. La famille interférera dans vos occupations. Accordez plus d'attention à vos proches pour éviter des discordes et consacrez-vous à votre travail surtout les 7, 16 et 25.

La flamme ardente du mois de juin s'est apaisée, mais les vibrations sont encore positives présentement. Soyez vigilant, car il pourrait y avoir des remises en question dans votre vie personnelle pour les mois futurs. Vous devez trouver le juste milieu entre vos émotions et votre raison.

L'équilibre matériel sera fragile, soit par négligence, soit par imprudence. Néanmoins, des signatures de contrats sont encore possibles ce mois-ci, surtout dans le domaine immobilier. Par-dessus le marché, le mois est bien choisi pour déménager.

Août (7) amour * travail * santé *

Dans l'ensemble, vous étiez plus comblé le mois dernier. Vous vous sentirez seul, puisque votre partenaire ne vibrera pas au même diapason que vous. Les disputes et les malentendus seront fréquents en août, particulièrement les 9, 18 et 27. Il est inutile de déverser votre stress à l'extérieur; cherchez plutôt la paix à l'intérieur de vous-même ou l'évasion par les voyages.

En ce mois d'été, votre esprit d'analyse est aiguisé et vous devriez vous en servir pour réfléchir à vos stratégies. Vous serez inspiré en affaires et vous aurez de la veine au jeu. Par contre, le mois de septembre sera préférable pour l'action et les transactions importantes.

Vous êtes moins en forme ce mois-ci et votre énergie sera variable. Par-dessus tout, vous devez équilibrer votre vie spirituelle et votre vie matérielle.

Septembre (8) amour * travail ** santé **

Septembre est le mois le plus important de l'année pour les questions financières, mais il pourrait y avoir des hauts et des bas. Vos performances au travail sont au summum et il y a de l'électricité dans l'air.

Cependant, il ne faudrait pas vous laisser aller à des actes impulsifs dans votre vie professionnelle et privée, surtout les 6, 15 et 24. Apprenez à vous maîtriser et gardez la mesure, même dans vos finances.

Votre vie sexuelle sera insatisfaisante, même si votre magnétisme est grand. De légers problèmes médicaux peuvent survenir, mais vous reprenez du poil de la bête comparativement au mois d'août.

Octobre (9) amour * travail * santé **

Vous aurez intérêt à cultiver l'optimiste en octobre. L'influence de l'année qui s'en vient se fait sentir et vous rendra hypersensible, en particulier les 2, 11, 20 et 29.

Les altercations avec l'entourage se poursuivront et des procès pourraient avoir lieu. Vous avez trop tardé à régler vos conflits et il est normal que le climat se soit envenimé. Pour compenser, partagez vos avoirs avec votre prochain en octobre.

Les choses n'avancent pas aussi rapidement que vous le souhaiteriez et je vous suggère de finaliser les travaux amorcés et de vous mettre à jour. De plus, la période est idéale pour les achats et les ventes.

L'étranger est favorisé; vous pouvez donc projeter un voyage ce mois-ci.

Novembre (1) amour ** travail *** santé ***

Voici un mois décisif, car le succès vous sourit en novembre. Vous aurez la chance d'augmenter vos revenus et d'acquérir de nouveaux biens.

Au travail, vous ne tiendrez pas en place et l'action sera intense, principalement les 3, 12, 21 et 30. Vous pouvez démarrer de nouvelles activités, mais ce serait plus rentable de vous réorganiser avant la fin de l'année.

De petits affrontements pourraient assombrir encore votre vie sentimentale, si vous êtes trop égoïste. Toutefois, la situation progresse réellement.

Bonne nouvelle, votre vitalité est à son maximum.

Décembre (2) amour *** travail * santé **

Pour les fêtes cette année, partagez les frais avec les autres. Il faudrait faire votre part et coopérer avec vos proches. Surtout, conservez votre calme avec vos intimes, car vous en subiriez les conséquences dans les mois à venir.

En général, c'est sur plan affectif que vous aurez les plus grands plaisirs, parce que vous retrouverez une grande passion qui n'existait plus depuis un certain temps.

À l'opposé, tout n'ira pas pour le mieux dans votre vie professionnelle, qui sera marquée par de nombreux retards. Je vous conseille d'assister à une cérémonie religieuse pour vous apaiser.

ANNÉE 9

ÉVALUATION

L'année 9 est une année «karmique» qui peut être difficile; c'est le bilan. C'est la période du grand nettoyage durant laquelle il faut vous détacher de certaines choses avant de recommencer un nouveau cycle.

Les plus chanceux seront ceux qui ont 20, 32, 44, 56, 68 ou 80 ans. La fin de l'année sera plus plaisante pour tout le monde.

Travail *
Argent *

Il y aura des dénouements de situations en ce qui concerne la profession: des mutations, des retraites et des engagements rompus. Vous serez plus concerné par ces événements si vous êtes âgé de 19, 31, 43, 55 ou 67 ans. Il serait préférable de ne pas signer de contrats importants. Ne commencez rien de nouveau cette année, à moins que cela ne soit un projet à court terme ou la suite logique d'une démarche déjà amorcée dans les années précédentes.

Il est plutôt recommandé de conclure et de terminer les travaux en cours. Cependant, des actions de nature humanitaire ou pour la collectivité peuvent être entreprises. L'année est propice pour les études, les arts, les sciences humaines et les relations internationales.

Les finances seront instables, mais vous pouvez réaliser des gains par la vente. Évitez les achats importants avant le mois d'octobre. Certains d'entre vous retireront encore des bénéfices des années antérieures bien vécues, mais d'autres feront peut-être faillite.

Amour *
Social

Les flirts commencés à ce stade-ci ont peu de chance de durer. Il en est de même pour les amitiés. Vous ne devez pas trop vous attacher, même si vous vous sentez sentimental. Ce sont principalement les unions entre deux êtres spirituels ou les rencontres reliées à l'étranger qui sont avantagées sous cette vibration.

Les séparations sont aussi nombreuses, particulièrement pour les couples qui n'ont pas réglé leurs problèmes l'an dernier. Des chagrins affectifs sont probables pour les personnes âgées de 18, 21, 30, 33, 42, 45, 54, 57, 66 ou 69 ans et surtout au cours de l'été. Une mortalité est aussi possible dans votre entourage, notamment si vous avez 17, 29, 41, 53, 65 ou 77 ans.

Les émotions seront donc fortes, parce que vous pourriez subir des pertes. Pour être heureux cette année, vous devez surtout miser sur l'amour universel. Changez-vous les idées en faisant du bénévolat et participez à des activités sociales ou communautaires.

Santé **
Voyages ***

Le psychisme sera fragile, puisque vous aurez des leçons à apprendre de vos erreurs passées. Vous serez plus affecté si vous êtes âgé de 25, 37, 49, 61 ou 73 ans. Ne vous apitoyez pas trop sur votre sort, mais c'est une bonne phase pour prendre votre santé en main. Vous serez plus en forme à la fin de l'année.

Le secteur des voyages est protégé tout le long de l'année et les déplacements à l'étranger seraient une source d'enrichissement.

Mois plus chanceux : mars et décembre.

Mois plus difficiles : juillet et septembre.

ANNÉE MONDIALE 9
(1980, 1989, 2007, ...)

L'année 9 met fin à une étape. De ce fait, certains systèmes seront mis de côté ou dissous. On assistera à une sorte de grand ménage dans plusieurs sphères de la vie politique et économique.

Les relations avec l'étranger sont privilégiées pendant cette période. En outre, on se préoccupera davantage des pays du tiers monde; on sera plus sensibilisé à leurs problèmes.

Des événements importants sur la scène internationale pourraient survenir et faire naître des inquiétudes. Les gens devront se serrer les coudes pour bien traverser cette année remplie d'émotions.

Janvier (1) amour ** travail *** santé ***

Vous entamez bien l'année et vous êtes énergique en janvier. Vous vous remettez vite du temps des fêtes.

Vous maîtrisez bien les événements et une affaire qui traînait aboutira. Les démarches avec l'extérieur seront couronnées de succès, surtout si vous recherchez la notoriété. En effet, la réussite est grande pour les activités qui touchent le public.

Néanmoins, de petits nuages pourraient assombrir votre vie privée si vous pensez trop à vous. Soyez plus attentionné les 1er, 10, 19 et 28.

Février (2) amour ** travail * santé **

Ce mois s'annonce fertile en émotions et votre moral sera fragile, spécialement les 5, 14 et 23. Par-dessus tout, ne fuyez pas dans les plaisirs artificiels, même si vous vivez un sentiment d'insécurité par rapport à votre emploi. Vous étiez décidément plus efficace le mois précédent.

Le domaine affectif sera un peu mieux. Toutefois, les relations à deux auront des hauts et des bas, tout comme votre moral. Vous êtes difficile à comprendre et vous auriez intérêt à être conciliant. Organisez donc un tête à tête le jour de la Saint-Valentin pour rétablir votre situation amoureuse.

Dans un autre ordre d'idées, il pourrait se produire une ouverture spirituelle qui aura des conséquences agréables. Tout ce qui est lié à l'étranger est aussi positif.

Mars (3) amour *** travail ** santé ***

Enfin, voici l'éclaircie que vous espériez! Vos projets prendront de l'expansion, principalement les 7, 16 et 25. Votre imagination est en pleine ébullition et les gens œuvrant dans le milieu artistique seront donc les plus avantagés. Vous ferez des contacts intéressants et vous aurez des appuis.

Les affaires de cœur ont pris une bonne tournure, car le dialogue est meilleur. Vous désirez partager votre joie autour de vous et il est salutaire de vous distraire ce mois-ci. Vous devriez également faire de l'exercice pour entretenir la forme, même si vous êtes plein de vitalité.

Les fréquentations de personnes d'une autre nationalité seraient stimulantes et les déplacements seraient heureux à ce moment-ci.

Avril (4) amour * travail ** santé *

Rien ne sera facile en avril et ne ménagez pas vos efforts, notamment les 9, 18 et 27. Vous ferez face à des blocages et une occupation pourrait même prendre fin.

La prudence est obligatoire, étant donné que des problèmes financiers ou administratifs sont probables. Je vous conseille d'ailleurs d'éviter la publicité et les procès sous cette vibration.

Vous aurez l'impression d'être incompris en amour mais, de grâce, n'aggravez pas les choses par votre mauvais caractère.

De plus, une sensation d'épuisement couronnera le tout. Cependant, votre optimisme vous soutiendra durant cette étape.

Mai (5) amour ** travail ** santé ***

Après les tensions du mois d'avril, vous avez besoin d'évasion et la chance vous accompagnerait en voyage. Vous devriez planifier des sorties en mai.

Vous pourriez vivre une transformation intérieure à cause de certaines souffrances émotionnelles passées. Pour l'instant, votre magnétisme est fort et cela harmonise vos rapports avec les proches. Le climat amoureux s'améliorera, mais il risque quand même d'être instable.

Les communications à grande échelle sont bénéfiques. De nouvelles perspectives sont à votre portée, au travail; il y a du mouvement et de l'énergie dans l'air. Vous serez infatigable et encore plus les 5, 14, 23.

Juin (6) amour * travail ** santé **

L'aspect émotionnel qui prévaut particulièrement les 3, 12, 21 et 30 troublera l'ambiance de ce mois de juin et vous affaiblira. Ne soyez pas trop perfectionniste dans l'exécution de vos fonctions.

Ceux qui œuvrent dans le milieu artistique ou humanitaire seront épaulés. En outre, les relations avec le public sont rentables.

Des tâches d'ordre domestique sont à prévoir ce mois-ci. De plus, votre entourage vous décevra et des ruptures sont possibles. Malgré tout, ne vous apitoyez pas sur votre sort. Il faudrait plutôt vous dévouer pour une bonne cause et n'oubliez pas la fête des Pères.

Consolez-vous, votre ascendant sur les autres est fort, tout en étant subtil à ce stade-ci.

Juillet (7) amour * travail * santé *

Les semaines à venir ne vous apporteront pas les joies que vous espérez. Le mois de juillet représente un temps d'arrêt. Pour ces raisons, vous constaterez peu d'évolution sur le plan professionnel. Il y aura même un ralentissement qui vous permettra de vous reposer ou de vous envoler vers des cieux plus cléments.

Il est important de prendre soin de vous, puisque vous traversez une phase de fragilité. Étant donné votre fatigue physique et morale, je vous suggère d'aller à la campagne.

Vous retirerez peu de satisfaction dans votre vie personnelle. Aucune discorde à l'horizon, plutôt un retrait volontaire de votre part.

Vous êtes animé d'une grande sagesse et vous devriez en faire profiter tout le monde, surtout les 2, 11, 20 et 29. Voici une étape toute désignée pour du bénévolat.

Août (8) amour * travail ** santé ***

Quelle remontée d'énergie en ce chaud mois d'août! Vous vous êtes vite remis sur pied. Votre ambition est forte et vous êtes efficace, surtout les 2, 11, 20 et 29.

Ce cycle est propice pour les transactions internationales, mais ne prenez pas de risques inutiles. Il faut être vigilant dans vos engagements, même si vous êtes protégé. Des plans commenceront à se concrétiser et vous apercevez la lumière au bout du tunnel.

Essayez de ne pas trop régenter la vie des gens, sinon vous en subirez les contrecoups. De toute façon, vous aurez beaucoup de concessions à faire avec l'être cher.

Septembre (9) amour * travail * santé *

Vous serez possiblement confronté à des circonstances pénibles en septembre, surtout dans votre vie privée. Vous aurez peut-être des sacrifices à faire. En principe, il pourrait y avoir des perturbations du côté sentimental qui vous apporteront des désillusions et du chagrin.

Vos nerfs seront à fleur de peau et ce sera pire les 9, 18 et 27. Votre santé sera probablement affectée par l'accumulation des émotions négatives de ces derniers mois.

En ce qui a trait à vos activités, si vous ne vous occupez que des travaux déjà entrepris, vous pouvez espérer des résultats.

Seuls les séjours à l'étranger sont favorisés sous cette vibration.

Octobre (1) amour ** travail *** santé ***

Ce mois-ci, vous avez le goût d'être plus actif et de reprendre votre vie en main. En réalité, vous ne manquerez pas de vitalité en octobre, notamment les 7, 16 et 25. Par surcroît, ous pouvez déjà semer pour l'an prochain.

Le contexte est idéal pour vous mettre en valeur et étendre votre influence vers l'extérieur. Des actions pour aider les autres seraient aussi bienvenues.

Si vous n'êtes pas trop indépendant en amour, tout se déroulera bien comparativement aux mois passés.

Novembre (2) amour ** travail * santé **

On peut qualifier novembre de mois stressant, mais vous avez déjà connu des jours plus sombres.

Vous n'aurez pas le contrôle de votre vie professionnelle; les contretemps seront inévitables. Vous vous sentirez dépendant des événements, à l'exception des 8, 17 et 26.

De plus, quelques problèmes affectifs risquent de vous faire perdre votre entrain. Soyez plus coopératif avec votre conjoint et tout continuera à bien aller.

Gardez le moral, le mois de décembre sera joyeux!

Décembre (3) amour *** travail ** santé ***

Vous êtes appelé à terminer ce cycle en beauté, parce que le ciel redevient bleu en décembre. Vous oublierez toutes les tensions qui ont parsemé l'année. Du reste, il y aura des développements positifs au travail.

Sortez pour faire de nouvelles connaissances et partagez votre joie de vivre. Il ne faudrait refuser aucune invitation en cette période des fêtes, car vos rapports avec l'entourage seront plaisants. Vous serez le centre d'attraction dans les réunions où vous irez et votre sens de l'humour allégera l'atmosphère.

Les endroits lointains vous attireront et vous pourrez donner libre cours à ce désir sans problèmes. Prenez la vie du bon côté, vous serez occupé dans un futur rapproché!

RÉSUMÉ

En résumé, on peut dire qu'on sème et qu'on s'affirme en année 1. On s'associe en année 2. On s'extériorise en année 3 et on travaille en 4. On s'épanouit en année 5. On manifeste de l'intérêt pour les autres et on aime en année 6. On fait le point et on se repose en 7. En année 8, on récolte. Enfin, en année 9, on fait le ménage pour se préparer à repartir du bon pied en année 1.

Pour vous permettre d'évaluer d'un seul coup d'œil les domaines les plus et les moins favorisés au cours des années numérologiques, je vous ai dressé un tableau.

Les étoiles indiquent le degré de chance qui se rapporte à chaque secteur.

PRÉVISIONS ANNUELLES					
ANNÉES	AMOUR	TRAVAIL	ARGENT	SANTÉ	VOYAGES
1	*	***	**	***	*
2	***	*	*	**	*
3	**	**	**	***	**
4	*	**	*	*	*
5	**	**	**	***	**
6	***	**	**	**	*
7	**	*	*	*	***
8	*	**	**	***	*
9	*	*	*	**	***

* chances faibles
** chances modérées
*** chances élevées

APPENDICE

Cette partie n'est pas essentielle pour l'utilisation de ce livre. Elle s'adresse surtout aux personnes qui veulent en savoir plus et qui aiment bien les détails.

Gardez en mémoire le nombre de votre vibration annuelle, car vous en aurez besoin ultérieurement.

TRUCS POUR CHOISIR
LE MOMENT IDÉAL

Vous avez constaté que certaines années avantagent un domaine plus qu'un autre. Il en est de même pour les mois et les journées. Quand vous accomplissez une action ou vous commencez un projet à long terme sous la vibration appropriée, vous mettez toutes les chances de votre côté.

Je vous fournis donc une liste de mots qui vous permettra de choisir à bon escient le meilleur moment pour agir et qui vous aidera à prendre des décisions.

VIBRATIONS	ACTIONS FAVORISÉES
1	l'initiative, le commencement ou le démarrage d'une action, un changement de travail, une mutation, une promotion, les prises de décisions, les prises de rendez-vous, les rapports avec les hommes;
2	les associations, les unions, une réconciliation, une naissance, une rencontre, la coopération, le travail en équipe, la collaboration, les négociations, les rapports avec les femmes;
3	les activités sociales, les relations amicales, les rencontres, les loisirs, la vie mondaine, les sports, les vacances, les déplacements, les arts, la créativité, l'écriture, l'auto-expression, une naissance, l'expansion;
4	les aspects matériels, un dur labeur, les activités sérieuses, une stabilisation, une structuration, la sécurité, l'épargne, l'organisation, la mise en ordre, la construction, l'achat, la vente;
5	les aventures amoureuses, la liberté, la nouveauté, un changement de travail, la publicité, les communications, les déplacements, les divertissements, une naissance;
6	la famille, les responsabilités, les obligations, les unions, les activités domestiques, le foyer, un déménagement, l'immobilier, le romantisme, les rencontres, les soins de santé, les arts;
7	la solitude, la réflexion, l'intuition, l'analyse, une période sabbatique, la méditation, la recherche, la religion, les remises en question, les études, le perfectionnement, l'écriture, les vacances, un grand voyage, une croisière, le repos, la retraite, les soins de santé;
8	les transactions financières, les affaires, l'achat, la vente, les dépenses d'argent, les investissements, un contrat, un avancement;
9	la finalisation ou l'achèvement d'une activité, une rupture, le bénévolat, la vente, l'étranger, un grand voyage, la notoriété, la popularité.

Vibration mensuelle

Dans le texte des prévisions mensuelles, chaque mois est suivi d'un chiffre entre parenthèses qui indique sa vibration. Vous notez ce chiffre et vous cherchez dans le tableau précédent les actions favorables pour ce mois.

Si vous avez l'intention d'effectuer un grand voyage à l'étranger par exemple, vous seriez mieux de partir dans un mois ou une année 7 ou 9. Vous pouvez aussi vous déplacer sous les vibrations 3 et 5.

Ce tableau peut également être utilisé pour sélectionner la journée idéale pour une activité particulière. Par exemple, pour une réunion familiale, vous seriez mieux de choisir un mois 6 ou un jour 6.

Vibration journalière

Pour calculer la vibration d'une journée, vous n'avez qu'à prendre la vibration du mois désiré et y ajouter le chiffre du jour, tel qu'il apparaît dans le calendrier.

Vous pouvez prendre le nombre du mois indiqué entre parenthèses ou consulter le tableau suivant qui indique les vibrations de chaque mois en relation avec chaque année.

Il est préférable de faire commencer la vibration du jour avec votre heure de naissance.

VIBRATIONS MENSUELLES											
ANNÉES	JANVIER	FÉVRIER	MARS	AVRIL	MAI	JUIN	JUILLET	AOÛT	SEPTEMBRE	OCTOBRE	NOVEMBRE	DÉCEMBRE
1	2	3	4	5	6	7	8	9	1	2	3	4
2	3	4	5	6	7	8	9	1	2	3	4	5
3	4	5	6	7	8	9	1	2	3	4	5	6
4	5	6	7	8	9	1	2	3	4	5	6	7
5	6	7	8	9	1	2	3	4	5	6	7	8
6	7	8	9	1	2	3	4	5	6	7	8	9
7	8	9	1	2	3	4	5	6	7	8	9	1
8	9	1	2	3	4	5	6	7	8	9	1	2
9	1	2	3	4	5	6	7	8	9	1	2	3

Supposons que, dans une année 6, vous voulez connaître la vibration du 1er mai, vous additionnez le chiffre de la date (1er) et la vibration de ce mois en année 6 (2). Cela vous donne 3 (1+2) comme vibration de cette journée, qui serait parfaite pour souper avec des amis, mais mauvaise pour régler des problèmes matériels.

Pour rééquilibrer votre budget ce mois-là, vous auriez donc intérêt à choisir une journée de vibration 4, soit les 2, 11, 20 ou le 29 mai. En effet, en additionnant ces dates avec le 2, qui est la vibration du mois de mai en année 6, le total donne toujours 4.

N'oubliez pas que les mois n'ont pas toujours le même nombre de vibrations chaque année.

Veuillez noter que les vibrations de l'année sont les plus importantes, suivies de celles du mois et du jour.

SECTEURS DE VIE IMPORTANTS

Avez-vous déjà constaté qu'à certaines époques, il est arrivé plus d'événements dans un domaine de votre vie que dans un autre?

Si vous consultez le tableau suivant, vous découvrirez que votre existence est probablement plus mouvementée dans le secteur qui se rapporte à votre âge actuel. Pour le connaître, vous n'avez qu'à chercher l'âge que vous avez présentement dans ce tableau et à noter le numéro du secteur correspondant.

Ces influences commencent le **jour de votre anniversaire** et durent un an. Vous pouvez donc chevaucher deux secteurs de vie durant la même année si vous êtes né au milieu de l'année. Deux secteurs de vie seront alors à considérer: celui qui précède votre anniversaire et celui qui suit immédiatement votre date de naissance.

Vous avez peut-être remarqué que, dans le texte des prévisions annuelles, j'ai tenu compte de ces secteurs.

SECTEURS DE VIE	ÂGES							
I	0	12	24	36	48	60	72	84
XII	1	13	25	37	49	61	73	85
XI	2	14	26	38	50	62	74	86
X	3	15	27	39	51	63	75	87
IX	4	16	28	40	52	64	76	88
VIII	5	17	29	41	53	65	77	89
VII	6	18	30	42	54	66	78	90
VI	7	19	31	43	55	67	79	91
V	8	20	32	44	56	68	80	92
IV	9	21	33	45	57	69	81	93
III	10	22	34	46	58	70	82	94
II	11	23	35	47	59	71	83	95

Si votre anniversaire est le 9 mai et que vous avez 40 ans en 1995, vous serez dans le secteur IX à partir du 9 mai 1995 jusqu'au 9 mai 1996, date à laquelle vous entrerez dans le secteur VIII, car vous aurez alors 41 ans.

Si vous êtes né le 28 décembre et que vous avez 63 ans en 1995, vous serez dans le secteur X à partir du 28 décembre 1995 jusqu'au 28 décembre 1996, date à laquelle vous entrerez dans le secteur IX, à l'âge de 64 ans.

Voici maintenant la signification de chacune de ces sections qui ont un lien avec les maisons en astrologie.

SECTEURS DE VIE	SIGNIFICATION
I	un renouveau, la personnalité, l'influence sur les autres, le statut personnel, l'apparence physique;
XII	les épreuves, les troubles psychosomatiques, une maladie, tout ce qui est caché, les ennemis, l'adversité, le karma;
XI	les amitiés, la clientèle, les rencontres, les appuis, les contacts, la vie sociale;
X	la vie professionnelle, les projets, la situation sociale, les ambitions, la popularité;
IX	les études, les grands voyages, l'étranger, le développement spirituel, l'édition, la belle-famille;
VIII	les procédures légales, un héritage, l'argent, une transformation, des problèmes sexuels, une mortalité;
VII	les associations, la vie de couple, les contrats, les ennemis;
VI	le travail quotidien, les relations avec les collègues, la santé, les animaux domestiques;
V	les amours, les loisirs, la procréation, les enfants;
IV	la famille, la résidence, le foyer, un héritage, la parenté, une mortalité, la fin d'une relation;
III	les courts déplacements, les études, le courrier ou la correspondance, les contacts, les relations avec l'entourage proche;
II	les affaires, les revenus, les acquisitions matérielles, l'argent.

L'étude de ces secteurs vous apporte plus de précisions sur les événements que vous vivrez durant une année. Par exemple, si vous traversez le secteur IV, vous saurez que la famille ou le foyer occupera le premier plan durant cette période-là.

Vous pouvez également faire des rapprochements entre votre nombre annuel et votre secteur de vie.

Si vous êtes dans une année 1, année d'un nouveau départ, et que vous traversez le secteur X, secteur professionnel, vous saurez alors que ce nouveau départ se fera probablement sur le plan du travail.

À l'âge de 35 ans, vous traversez le secteur II, secteur des finances et si, en même temps, vous êtes dans une année 8, de nature matérielle, cela viendrait confirmer que le côté monétaire prédominera cette phase.

ÉTUDE DES LETTRES DU NOM

Si vous aimez les calculs, il existe un moyen plus précis pour savoir si vous ressentirez les vibrations d'une année de façon positive ou non. Si ce n'est pas le cas, il est aussi possible de remédier à cette situation.Vous n'aurez qu'à lire les conseils donnés plus loin pour mieux réussir une année.

Vous devez d'abord vérifier le pourcentage des lettres que vous possédez dans vos noms à la naissance, tel qu'inscrit sur votre baptistaire, et **surtout les lettres de votre nom usuel**.

Les lettres de votre nom représentent votre bagage à la naissance, et plus votre pourcentage se rapproche du pourcentage suggéré, plus vous aurez de la facilité à traverser l'année correspondant à cette case.

Le tableau qui suit, basé sur la méthode de Kevin Quinn Avery, indique les lettres correspondant à chaque case et leur pourcentage idéal.

LETTRES DU NOM		
1 ÉGO INDIVIDUALITÉ INITIATIVE (20 à 30 %) **AJS - é, è, ê, ç**	2 ASSOCIATIONS TOLÉRANCE SENSIBILITÉ (2 à 10 %) **BKT**	3 MENTAL EXPRESSION ORIGINALITÉ (5 à 20 %) **CLU**
4 ORGANISATION CONSTANCE (2 à 10 %) **DMV**	5 ADAPTATION LIBERTÉ (20 à 30 %) **ENW**	6 COMPRÉHENSION SENS DES OBLIGATIONS (2 à 10 %) **FOX**
7 SAGESSE INTÉRIORISATION (2 à 10 %) **GYP**	8 SENS DES VALEURS MATÉRIELLES AUTORITARISME (2 à 10 %) **HQZ**	9 AMOUR UNIVERSEL IDÉALISME (20 à 30 %) **IR**

Voici quels seraient le pourcentage et la répartition des lettres pour une personne dont les noms inscrits sur le baptistaire seraient *Marie Danièle Vickie Lavoie* et dont le total des lettres de ses noms serait de 24.

LETTRES DU NOM (MODÈLES)		
1 ÉGO INDIVIDUALITÉ INITIATIVE **(20 à 30 %)** aaaè 4/24 = 16,6 % (-)	2 ASSOCIATIONS TOLÉRANCE SENSIBILITÉ **(2 à 10 %)** k 1/24 = 4,1 %	3 MENTAL EXPRESSION ORIGINALITÉ **(5 à 20 %)** llc 3/24 = 12,5 %
4 ORGANISATION CONSTANCE **(2 à 10 %)** mdvv 4/24 = 16,6 % (+)	5 ADAPTATION LIBERTÉ **(20 à 30 %)** eeeen 5/24 = 20,8 %	6 COMPRÉHENSION SENS DES OBLIGATIONS **(2 à 10 %)** o 1/24 = 4,1 %
7 SAGESSE INTÉRIORISATION **(2 à 10 %)** 0/24 = 0 (vide)	8 SENS DES VALEURS MATÉRIELLES AUTORITARISME **(2 à 10 %)** 0/24 = 0 (vide)	9 AMOUR UNIVERSEL IDÉALISME **(20 à 30 %)** riiiii 6/24 = 25 %

Vous n'avez qu'à procéder de la même façon avec vos noms, après avoir dressé un tableau. D'abord, vous placez chaque lettre dans la case appropriée. Puis, vous trouvez le pourcentage en divisant le nombre de lettres de chaque case par le nombre total de vos lettres, qui n'est pas nécessairement 24 comme dans l'exemple. Reportez-vous aux deux tableaux précédents.

Il serait bon de noter, comme je l'ai fait dans le modèle ci-dessus, les pourcentages qui s'écartent de la norme idéale, en inscrivant s'ils sont plus bas ou plus élevés.

Case équilibrée

Les années correspondant à une case équilibrée, c'est-à-dire celles dont le pourcentage des lettres dans votre nom se situe dans la moyenne indiquée dans les cases du tableau, seront plus harmonieuses que si le pourcentage est plus bas ou excède la norme. En effet, un pourcentage équilibré indique que vous possédez les caractéristiques inscrites dans la case; celles-ci sont nécessaires pour vous accorder avec les vibrations de l'année.

Dans l'exemple précédent, cette femme aurait de la facilité à vivre les années 2, 3, 5, 6 et 9 parce que le pourcentage de ces cases se situe dans la norme.

Dans une année qui est généralement «plus négative» pour tout le monde, l'année 9 par exemple, cette personne ne ressentirait pas trop de tensions, car sa case 9 est équilibrée. L'inverse est aussi vrai. Si vous êtes dans une année réputée positive comme l'année 3 et que votre case 3 est vide ou faible, vous ne la trouverez pas si facile que cela.

Case en déséquilibre

Si le pourcentage ne se situe pas dans la norme suggérée, vous aurez plus d'efforts à fournir durant l'année en question et cela ira en s'accentuant avec l'écart. Une case vide apportera plus de problèmes, puisque vous ne possédez pas les traits de base nécessaires pour bien vous ajuster aux événements de l'année.

Cette femme éprouverait donc de la difficulté à évoluer dans les années 1 (pourcentage trop faible) et 4 (pourcentage trop élevé), et encore plus dans les années 7 et 8 où il y a absence de lettres dans ces cases.

Dans le chapitre suivant, vous découvrirez pourquoi les années correspondant à une case en déséquilibre seront difficiles pour vous.

CONSEILS POUR MIEUX RÉUSSIR UNE ANNÉE

Après avoir trouvé le pourcentage des lettres de votre nom dans chacune des neuf cases, tel qu'expliqué précédemment, vous n'avez qu'à lire comment bien traverser chaque année si la case correspondante n'est pas équilibrée.

Case 1

Avec un nombre 1 en excès, vous pouvez être impulsif ou arrogant en *année 1* et ce comportement ne sera pas toléré. Si le pourcentage est trop faible ou si la case est vide, évitez l'indécision et le doute. Apprenez à compter sur vous-même.

Case 2

En *année 2*, un nombre 2 en excès vous rend trop dépendant et sensible, et vous pourriez souffrir. Si votre pourcentage est sous la moyenne désirée ou si la case est vide, vous devez éviter la critique et apprendre à collaborer. Tenez compte davantage des autres, sinon vous le regretterez.

Case 3

Un nombre 3 en excès vous porte à disperser vos énergies, à vous éparpiller, sans résultat en *année 3*. Avec un manque dans la case 3 ou avec une case vide, vous devez vous extérioriser davantage et développer vos talents latents.

Case 4

En *année 4*, un nombre 4 en excès vous pousse à trop travailler et à vous épuiser. Si vous navez pas assez de lettres dans la case 4 ou si elle est vide, vous avez besoin d'être plus discipliné. De plus, faites attention au découragement.

Case 5

Avec un nombre 5 en excès, vous devez apprendre à maîtriser vos désirs de toutes sortes en *année 5*. Si le pourcentage de cette case est plus bas que la moyenne ou si la case est vide, vous devez essayer de vous adapter au changement et de contrôler votre insécurité.

Case 6

En *année 6*, un pourcentage trop élevé en case 6 vous porte à vouloir régenter la vie des autres et à montrer votre supériorité. Évitez le perfectionnisme. Si cette case est vide ou s'il y a un manque de lettres, vous devez surtout apprendre à aimer et à accepter les autres comme ils sont.

Case 7

Un pourcentage excédentaire en case 7 vous rend trop sérieux et renfermé en *année 7*. Avec un manque ou avec une case vide, vous devriez méditer et affirmer plus vos opinions.

Case 8

En *année 8*, avec une case 8 trop élevée, ne soyez pas trop obsédé par le côté matériel et le pouvoir. Si le pourcentage n'est pas assez élevé ou si la case est vide, il vous faudrait développer un meilleur équilibre dans vos dépenses et dans vos rapports avec l'argent en général.

Case 9

Avec un nombre 9 en excès, il y a danger d'être trop émotif et de vous inquiéter inutilement. En *année 9*, vous devez être plus compatissant envers les autres si votre pourcentage est trop bas ou si vous avez une case vide.

COULEURS CHANCEUSES

Vous devez vous servir encore une fois du pourcentage des lettres de votre nom que vous avez trouvé pour chaque case, tel qu'expliqué à la page 101.

Chaque couleur apporte certaines qualités et peut vous aider à équilibrer les caractéristiques d'une case en excès ou en manque, et ainsi à être mieux dans votre peau et plus heureux.

Consultez le tableau qui suit pour connaître les couleurs à rechercher et à éviter, en tenant compte du fait que vous avez une case avec un pourcentage trop faible ou trop élevée.

CHOIX DES COULEURS		
1 AUTONOMIE DYNAMISME (20 à 30 %) Case faible ou vide: **ROUGE** Case forte: *vert pomme pâle*	2 ÉQUILIBRE ÉMOTIONNEL COOPÉRATION (2 à 10 %) Case faible ou vide: **ORANGÉ** Case forte: *bleu pâle*	3 CRÉATIVITÉ OPTIMISME (5 à 20 %) Case faible ou vide: **JAUNE CITRON** Case forte: *mauve*
4 DISCIPLINE STABILITÉ (2 à 10 %) Case faible ou vide: **VERT** Case forte: *rose pâle*	5 DÉTACHEMENT AMOUR DU CHANGEMENT (20 à 30 %) Case faible ou vide: **BLEU** Case forte: *pêche*	6 SENS DES RESPONSA-BILITÉS AMOUR DE LA FAMILLE (2 à 10 %) Case faible ou vide: **ROSE** Case forte: *turquoise pâle*
7 SÉRÉNITÉ ANALYSE (2 à 10 %) Case faible ou vide: **VIOLET** Case forte: *jaune citron pâle*	8 ÉQUILIBRE MATÉRIEL PLANIFICATION (2 à 10 %) Case faible ou vide: **MARRON** Case forte: *vert menthe pâle*	9 COMPASSION MAGNÉTISME (20 à 30 %) Case faible ou vide: **JAUNE OR** Case forte: *lilas pâle*

Vous devez noter que la couleur principale, de teinte vive ou assez foncée, permet de développer les caractéristiques d'une case. La couleur complémentaire peut les atténuer et doit être de teinte pâle.

Pour acquérir un meilleur équilibre émotionnel, une personne avec une case 2 faible ou vide devrait s'entourer d'orangé; et celle qui a un pourcentage plus élevé que la norme devrait rechercher le bleu pâle.

Vous pouvez soit adopter ces couleurs pour vos vêtements ou votre décoration, soit faire des exercices de visualisation avec celles-ci. À chaque inspiration, vous imaginez que la couleur pénètre en vous et vous régénère, et vous vous la représentez en même temps autour de vous. Après avoir retenu votre souffle quelques secondes, vous expirez lentement tout en vous détendant.

Voici une autre technique plus élaborée pour ceux qui sont familiers avec les chakras. Ces centres énergétiques subtils sont nombreux dans le corps et en yoga, nous en comptons neuf principaux qui peuvent être rattachés à chaque case. Lors de votre méditation, vous dirigez tout simplement votre attention sur le chakra relié à la case à équilibrer en visualisant la couleur appropriée, <u>selon que vous ayez besoin d'activer ou de ralentir la circulation des énergies de ce centre.</u>

Le centre chakra, à la base de la colonne vertébrale, est le centre coccygien ou plexus périnéal. Pour équilibrer une case 8, vous n'avez qu'à vous concentrer sur cette zone près des deux sphincters de l'anus et du périnée et à visualiser la couleur marron ou vert menthe pâle, dépendant si le pourcentage de cette case est trop faible ou trop élevé.

Le centre sacré ou plexus génital est situé un peu plus haut, à la naissance des organes de la reproduction et se rapporte à la case 1. Le troisième, le plexus ombilical, est placé immédiatement au-dessous du nombril et agit sur la case 2. Le chakra solaire sert à équilibrer la case 4 et se trouve au creux épigastrique, à la base du sternum, près du foie. Le chakra lunaire est logé dans la même région, mais plus à gauche de l'ombilic, près de la rate et du pancréas et il est relié à la case 3. Quant au plexus cardiaque qui harmonise la case 6, il est situé sur l'épine dorsale, vis-à-vis le cœur.

Pour la case 5, vous vous intériorisez dans la gorge, à la hauteur de la pomme d'Adam, siège du plexus carotidien. La case 7 est liée au plexus cervical ou centre frontal et vous pouvez le localiser en révulsant les yeux et en les orientant vers un point entre les deux sourcils. Pour éveiller le dernier centre, le chakra coronal et faire travailler la case 9, orientez le regard à l'intérieur, dans le crâne, au milieu d'une ligne imaginaire reliant les tempes.

Si vous avez une _case faible_ et surtout une case vide, vous n'aimerez peut-être pas la couleur foncée correspondant à ce nombre, mais vous auriez justement intérêt à la porter ou à vous en entourer pour vous harmoniser.

Avec un pourcentage faible en case 6, par exemple, vous auriez avantage à choisir du rose vif pour vous aider à prendre vos responsabilités ou pour augmenter votre compréhension face à vos proches.

À l'inverse, si vous avez une _case forte_, vous devez vous entourer de la couleur pâle, soit celle mentionnée pour la case forte, et éviter la couleur foncée qui est conseillée pour ceux qui ont une case faible.

Par exemple, si votre case 5 est forte, vous devez rechercher la couleur pêche qui peut modérer votre goût de changement et éviter le bleu foncé qui l'amplifierait.

Avec une *case équilibrée*, vous sélectionnez la couleur que vous voulez, selon que vous ayez besoin à un moment donné de développer ou d'atténuer les traits se rapportant à cette case.

Par exemple, si une journée vous avez besoin d'être plus créateur, vous choisirez alors du jaune vif. C'est la couleur qui accentue les attributs de la case 3 reliée à la créativité.

Quand vous vous sentez fatigué, portez des vêtements de couleur rouge qui vous redonnera de la vigueur.

Si vous désirez en savoir plus sur la signification des cases, relisez le texte des pages 146 à 148.

ANNÉE DÉCISIVE

Il y a toujours une année qui sera plus marquante pour vous dans un cycle, car elle correspond à l'addition des chiffres de votre date de naissance au complet.

Pour la connaître, faites la même addition que pour trouver votre nombre annuel. Vous n'avez qu'à inscrire votre année de naissance, au lieu d'écrire l'année choisie.

Voici un exemple pour une personne qui serait née le 30 janvier 1958 (3+0 +1 +1+9+5+8 = 2+7 = 9) OU

jour de naissance :   30
mois de naissance :   01
année de naissance : <u>1958</u>
              1+9+8+9 = 2+7 = 9

Pour cette personne, l'année 9 serait plus mémorable que les autres, étant donné qu'elle pourrait être l'occasion d'événements importants.

Quand le total de la date de naissance coïncide avec le nombre annuel que vous vivez, l'année en question est souvent plus facile. Les vibrations sont alors les mêmes et vous rencontrez des occasions pour croître cette année-là.

NOMBRE DE VIE

Le nombre qui provient de l'addition des chiffres de votre date de naissance est un nombre principal qui vous suit toute votre vie, et non seulement pendant un an. Voilà pourquoi ce nombre est si important pour vous.

Si nous reprenons l'exemple de la page précédente d'une femme née le 30 janvier 1958, l'addition de sa date de naissance donnait un nombre de vie 9 (3+0 + 1 + 1+9+5+8). Pour cette raison, la vibration 9 influencera cette personne toute sa vie.

Voici la signification de chacun des nombres de vie qui sont des leçons que vous êtes venu apprendre sur la terre. Autrement dit, ce sont des routes que vous avez choisi d'emprunter dans ce voyage d'évolution qu'est la vie.

Nombre de vie 1

Vous devez apprendre à compter sur vous-même, sinon les circonstances vous y contraindront. Vous devez avoir confiance en vous et développer votre initiative. C'est la route du conquérant et il faut que vous soyez entreprenant, sans toutefois écraser les autres.

Nombre de vie 2

La vie à deux jouera un rôle important dans votre évolution. Vous devez donc coopérer avec les proches sans être trop dépendant, que ce soit dans les associations amoureuses ou professionnelles.

Votre attitude envers vos partenaires doit être adéquate, sinon vous souffrirez.

Nombre de vie 3

Vous devez communiquer avec les autres et exprimer vos talents, souvent créateurs, et ce chemin sera alors très facile. À l'inverse, vous rencontrerez des obstacles, si vous faites des excès dans les plaisirs de la vie ou si vous vous refermez sur vous-même.

Nombre de vie 4

Voici une route plus rigoureuse. Vous devez rechercher la stabilité et bien vous organiser. Si vous aimez le travail, vous serez plus heureux. Le danger est d'être trop maniaque des détails ou, au contraire, trop désordonné et paresseux.

Nombre de vie 5

Vous aimerez cette vibration si vous appréciez la liberté et l'imprévu. Toutefois, il vous faudra éviter l'instabilité, tout en étant disponible pour de nouvelles expériences. Votre capacité d'adaptation sera mise à dure épreuve.

Nombre de vie 6

Vous aurez des choix à faire et des responsabilités à prendre, surtout sur le plan familial. Vous devez créer l'harmonie dans vos relations avec les gens et éviter la critique. Des obligations vous seront imposées si vous ne suivez pas cette voie.

Nombre de vie 7

Le 7 est la route de l'introspection et de la sagesse. Il vous faut accorder beaucoup d'importance à votre recherche intérieure. Si vous évoluez spirituellement, votre vie se déroulera avec aisance et des chances s'offriront à vous. En ne mettant pas en pratique ces principes, vous pouvez vous retrouver ou vous sentir souvent seul. Ne cherchez pas la paix de l'esprit par des moyens artificiels tels que l'alcool, la drogue, etc.

Nombre de vie 8

Le chemin 8 est très différent du 7, car l'argent et le pouvoir tiennent une place importante. L'ambition est récompensée, mais non l'arrivisme. Vous devez vous réaliser dans le monde matériel tout en évitant la malhonnêteté. D'une manière ou d'une autre, vous récolterez ce que vous sèmerez.

Nombre de vie 9

Avec le nombre 9, vous obtiendrez la satisfaction et le succès en aidant votre prochain sans rien attendre en retour. Vous devez donc être altruiste et compatissant, sans vous laisser submerger par les problèmes des autres. Les personnes égoïstes et insensibles auront des sacrifices à faire dans plusieurs domaines.

Il serait préférable d'étudier le pourcentage des lettres de la case correspondant à votre nombre de vie pour en savoir plus. Selon le pourcentage des lettres de cette case, vous aurez plus ou moins de facilité à évoluer durant votre existence.

Les lettres de votre nom sont les outils que vous possédez pour réussir votre vie et vous pouvez en avoir suffisamment, pas assez ou trop. Si la case se rapportant à votre nombre de vie est équilibrée, vous ressentirez moins de tensions, car vous avez juste ce qu'il faut.

Par contre, si le pourcentage des lettres de cette case est plus élevé ou plus bas, ou si la case est vide, vous devez suivre les recommandations déjà données pour les personnes qui ont des cases en déséquilibre, si vous voulez une vie harmonieuse.

Veuillez donc vous reporter aux conseils de la case se rattachant à votre nombre de vie, aux pages 146 à 148, après avoir calculé le pourcentage des lettres qui ont la même valeur que lui. Vous n'avez qu'à remplacer le mot «année» par «vie». Au lieu de s'appliquer pour une année seulement, ces conseils s'appliqueront pour toute votre vie.

Dans l'exemple précédent, le nombre de vie était 9. Si nous vérifions sa case 9 à la page 148, nous voyons qu'elle est équilibrée. Cette personne n'aurait donc pas trop de difficulté à vivre les vibrations du 9. Si son nombre de vie avait été le 7, étant donné que cette case est vide, elle devrait méditer et affirmer davantage ses opinions non seulement en année 7, mais durant toute sa vie.

CYCLES DE VIE MAJEURS

En plus du nombre de vie, il existe d'autres vibrations qui vous affectent pendant une longue durée. En effet, vous êtes influencé par trois cycles majeurs qui changent lors de votre anniversaire.

Voici un tableau qui vous indique à quels âges s'effectueront ces changements de cycle dans votre existence.

NOMBRES DE VIE	2ᵉ CYCLE	3ᵉ CYCLE
1	26 ans	54 ans
2	25 ans	53 ans
3	24 ans	52 ans
4	23 ans	60 ans
5	31 ans	59 ans
6	30 ans	58 ans
7	29 ans	57 ans
8	28 ans	56 ans
9	27 ans	55 ans

Vous devez prendre votre nombre de vie calculé auparavant et noter les âges correspondants à ces périodes.

Je reprends l'exemple du 30 janvier 1958 où le nombre de vie était 9. De sa naissance jusqu'à 27 ans, cette personne se trouvait dans le premier cycle. Quand elle a eu 27 ans, elle est entrée dans le deuxième cycle et à 55 ans, elle changera encore de vibration. Ces tournants sont en vigueur à partir du jour de son anniversaire qui est le 30 janvier.

Pour connaître la signification de chacun de ces cycles, nous prenons encore en considération la date de naissance.

Le premier cycle correspond au nombre du mois, le deuxième au nombre du jour et le troisième au total des nombres de l'année de naissance. Vous devez toujours réduire les chiffres de 1 à 9.

La même personne née le 30 janvier 1958, qui avait le nombre de vie 9, était dans un cycle de vibration 1 (nombre de son mois de naissance, janvier) jusqu'à 27 ans. Son deuxième cycle, de 27 à 55 ans, est sous la vibration 3 (nombre de son jour de naissance, 3+0) et elle finira ses jours avec la vibration 5 (nombre de son année de naissance, 1+9+5+8).

Exemple: Jour - Mois - Année
          3+0   - 0+1   - 1+9+5+8

(27 à 55 ans) (0 à 27 ans) (55 ans et plus)

Ces trois cycles majeurs correspondent respectivement à la jeunesse, à l'âge adulte et à l'âge mûr. Dans notre exemple, cette personne serait influencée par la vibration 1 dans sa jeunesse, par la vibration 3 à l'âge adulte et par la vibration 5 à l'âge mûr.

Après avoir trouvé les âges où vous changez de cycle, d'après votre nombre de vie et la vibration de vos trois cycles majeurs, selon votre date de naissance, lisez leur signification ci-dessous. Les transitions entre les cycles ne s'effectuent pas de façon brusque.

Vibration 1

Toutes les démarches indépendantes sont appuyées pendant cette phase et vous avez beaucoup d'énergie. L'autonomie est encouragée, car les désirs personnels sont forts. Prenez votre vie en main.

Vibration 2

Les associations sont primordiales. La coopération est importante. Il est préférable de travailler en groupe ou d'accepter d'être en retrait. Vous pouvez aussi fonder un foyer.

Vibration 3

Il est conseillé d'avoir des activités sociales ou sportives et des loisirs. La période est propice à la créativité et à l'expression de vos talents.

Vibration 4

Ce cycle est axé sur le travail et la productivité. Les aspects monétaires sont restrictifs. Cependant, la persévérance et le dur labeur sont récompensés.

Vibration 5

La période est instable et mouvementée. Les tentations sont nombreuses. Les fonctions en rapport avec le public sont favorisées. Des changements d'orientation peuvent se produire.

Vibration 6

La famille est en évidence. Des occasions pour servir les autres se présenteront. Les contacts humains doivent être harmonieux. Des unions peuvent avoir lieu.

Vibration 7

La vibration 7 encourage la réflexion et les occupations intellectuelles. Les études sont donc recommandées. Vous pouvez vivre des moments de solitude, mais une ouverture spirituelle peut se produire.

Vibration 8

Les affaires et les actions commerciales sont facilitées. Vous êtes en mesure d'acquérir l'argent et la puissance si vous faites des efforts en ce sens. Par-dessus tout, il faut être dynamique.

Vibration 9

Les réalisations à caractère humanitaire sont privilégiées. Le succès dans la vie publique peut être obtenu et tout ce qui concerne l'étranger est avantagé.

Vous devez considérer la vibration du nombre de vie comme étant la plus importante, puis vous y superposez les vibrations des cycles. Vous faites un parallèle entre les deux, car les influences se mêlent. Vous pouvez tenir compte ici aussi de la compatibilité entre ces nombres.

COMPATIBILITÉ ENTRE LES NOMBRES

Les rapports entre les nombres vous permettent de recueillir des informations additionnelles sur votre destinée. Plusieurs rapprochements sont possibles.

Vous pouvez vérifier l'harmonie qui existe entre votre nombre annuel et le nombre mondial de l'année en cours à ce moment-là. Il faut mettre le nombre annuel en premier lorsque vous comparez ces nombres. Vous trouverez la signification de l'année mondiale dans le texte des prévisions annuelles.

Une année sera beaucoup plus agréable à vivre si vos vibrations de l'année en cours sont en accord avec celles de l'année mondiale.

La personne née le 30 septembre 1958 serait, en 1997, en année 2 (3+0 + 9 + 1+9+9+7= 3+8= 1+1= 2). Le nombre pour l'année mondiale 1997 est 8 (1+9+9+7). Il suffit alors de vérifier, dans le tableau, la compatibilité ou non existant entre ces nombres. Les nombres 2 et 8 sont compatibles; l'année 1997 sera donc plus facile pour elle.

En 2003, si vous êtes dans une année 4, année de limitations et que l'année mondiale en cours est sous la vibration 5 (2+0+0+3), cette année sera certainement pénible. Vous aurez de la difficulté à accepter les restrictions de cette année 4 dans une année 5, où les courants mondiaux prédisposent aux changements et à la variété.

Voici le tableau des ententes entre les nombres. Le terme «variable» signifie que l'entente peut être bonne dans un domaine, mais mauvaise dans l'autre.

Vous cherchez le premier nombre dans la colonne de gauche et vous allez vérifier l'entente dans la colonne de droite.

COMPATIBILITÉ ENTRE LES NOMBRES			
ENTENTE	BONNE	VARIABLE	DIFFICILE
1	3-5-7-8-9	2-6	1-4
2	1-3-8	4-6-7	2-5-9
3	1-2-5-6-9	7-8	3-4
4	6-7	2-3-8	1-4-5-9
5	1-3-5-8-9	7	2-4-6
6	1-3-4-9	2-7-8	5-6
7	3-4-5	1-2-6	8-9-7
8	2	3-4-6	1-5-7-8-9
9	1-3-5-6-7	4	2-8-9

Vous pouvez également comparer le nombre de l'année personnelle que vous vivez avec celui de votre nombre de vie. S'ils sont compatibles, vous aurez plus de facilité à évoluer cette année-là. Vous pourrez mettre en application les principes de votre nombre de vie.

Je reprends encore le même exemple d'une personne née le 30 septembre 1958. En 1997, elle serait en année personnelle 2 (3+0 + 9 + 1+9+9+7) et son nombre de vie est le 9 (3+0 + 9 + 1+9+5+8). Si on se reporte au tableau, vous remarquerez qu'il y a une incompatibilité entre le 2 et le 9. Elle aura donc plus de difficulté à réaliser ce pour quoi elle est venue sur terre (son nombre de vie) quand elle traversera une année 2.

N'oubliez pas qu'il y a un sens à respecter lorsque vous comparez les nombres. Il faut comparer l'année personnelle par rapport à l'année mondiale, et l'année personnelle par rapport au nombre de vie.

Vous pouvez de même comparer l'année dans laquelle vous êtes avec celle de votre partenaire pour voir si vous baignez dans la même ambiance. Par exemple, si vous êtes dans une année 2 et que votre conjoint est dans une année 6, vous pouvez être sûr que votre vie affective sera marquante. L'amour tient une place importante en années 2 et 6.

Si vous traversez les mêmes années ensemble, les effets en seront amplifiés. Par exemple, un couple qui traverse une année 7 en même temps ne devrait vraiment rien entreprendre sur le plan matériel durant cette période qui favorise plutôt les activités intellectuelles ou spirituelles.

Les vibrations qui vous influencent tous les deux peuvent aussi être de source très différente. Ce serait le cas si vous êtes dans une année 1, année de commencement et que l'autre est dans une année 9, année d'achèvement.

Vous pouvez bien sûr faire la même correspondance avec vos nombres de chemins de vie.

CONCLUSION

J'espère que ce livre vous a plu. Mon intention était surtout de vous offrir un moyen facile et rapide pour connaître les tendances futures de n'importe quelle année.

Il est certain qu'il existe, en numérologie, d'autres critères que nous devons prendre en considération pour connaître avec plus de précision les événements d'une année et d'une vie. Ce sont des techniques d'interprétation plus élaborées que vous pouvez apprendre dans les cours.

Nous sommes toujours sous l'influence de plusieurs nombres en même temps. La seconde partie de ce livre vous en a donné un aperçu. J'espère que j'ai réussi à susciter chez vous le goût d'aller plus en profondeur dans l'étude de cette science fascinante qu'est la numérologie.

J'ai toujours cherché des méthodes pour mieux me connaître et connaître ma destinée. Je crois que l'étude des mains (chirologie) et des nombres (numérologie) nous sont d'une grande utilité en ce sens. J'ai d'ailleurs aussi écrit un livre sur les lignes de la main qui s'intitule *Les mains simplifiées*, publié aux Éditions Quebecor.

Si vous êtes intéressé à suivre des cours ou à faire analyser vos mains ou votre thème numérologique, vous pouvez me joindre à l'adresse suivante:

Claire Savard
2009, boul. Auclair
Sainte-Foy (Québec)
G2G 1W8

BIBLIOGRAPHIE

AVERY, Kevin Quinn, *La vie secrète des chiffres,* Éd. l'Étincelle, 1988.

AVERY, Kevin Quinn, *Les années personnelles*, U.S.A.

AVERY, Kevin Quinn, *Le transit des maisons astrologiques*. U.S.A., 1977.

AVERY, Kevin Quinn, *L'inclusion*.

BUESS, Lynn, *La numérologie - Pour mieux vivre avec soi et les autres*, Éd. du Rocher, 1991.

BUNKER, Dust, *Numerology and your Future*, Para Research Inc., 1980.

BUNKER, Dusty and JAVANE, Faith. *Numerology and the Divine Triangle*, Para Research Inc., 1979.

BUNKER, Dusty and KNOWLES, Victoria, *Birthday Numerology*, Para Research, 1982.

CAMPBELL, Florence, *Your Days Are Numbered,* Éd. De Vors.

CHABOCHE, François-Xavier, *Vie et mystère des nombres*, Éd. de Compostelle, 1989.

CHRISTEL, Alain-Victor, *Le guide pratique de la nouvelle numérologie*, Éd. de Vecchi, 1989.

DE LOUVIGNY, Philippe, *Le livre de la numérologie*, Éd. Solar, 1991.

DE LOUVIGNY, Philippe, *Vos nombres, mode d'emploi*, Éd. J.C. Lattès, 1989.

DE ST-AMANS, Michel, *L'intelligence et le pouvoir des nombres*, Éd. Artulen.

FERMIER, Jean-Daniel, *ABC de la numérologie*, Éd. France-Loisirs.

FERMIER, Jean-Daniel, *Numérologie année 90,* Éd. Jacques Grancher, 1990.

FERMIER, Jean-Daniel, *Vos prévisions numérologiques 1994*, Éd. Jacques Grancher, 1993.

FERMIER, Jean-Daniel, *Numérologie - le livre des cycles*, Éd. Jacques Grancher, 1988.

FIRMIN, A, *Les nombres dévoilés*, Éd. Édiru, 1989.

GIRARD, Danièle, *Les nombres et leurs messages*, Éd. Jeanne Laffitte, 1988.

Goodwin, Matthew Olive, *Numerology - The Complete Guide*, tomes 1 et 2, New Castle Publishing Company Inc., 1981.

GUILPIN, Georges, *La vie au fil des chiffres*, Éd. du Dauphin.

HADAR, Kris, *La numérologie à 22 nombres,* tomes I et II, Éd. de Mortagne, 1990.

HALFON, Roger, *Astro-numérologie,* Éd. Sélect, 1981.

HALFON, Roger, *Vos chiffres pour la vie*, Éd. Albin Michel.

JEANNE. *Numerology*, Center for Truth Press, U.S.A., 1987.

JORDAN, Dr. Juno, *Numerology*, J.F. Rowny Press, 1982.

JOUVEN, Georges, *Les nombres cachés*, Éd. Dervy-Livres, 1978-1982.

LASALLE, Pierre, *Numérologie holistique*, Éd. Vecchi, 1990.

MESNARD, Brigitte, *L'horoscope numérologique*, Éd. de Vecchi.

NOTTER, François, *Le grand livre de la numérologie*, Éd. de Vecchi

NOTTER, François, *La numérologie humaniste*, Éd. Hierarch, 1991.

PARRA, François, *La loi des nombres*, Éd. Yva Peyret, 1988.

PICHÉ, Brenda, *Guide complet de numérologie*, tomes I et II, Éd. de Mortagne.

ROTH-DUQUESNE, Marie-Louise, *La numérologie autrement*, Éd. Jacques Grancher, 1990.

SAVARD, Louise, *Vos prévisions numérologiques 1988*, Éd. de Mortagne.

SAVIGNY-VESCO, *Le secret des nombres*, Éd. Bussières.

STAS, Pierre Michael, *La numérologie du bon sens*, Éd. Concraid.

TAPIERO, A.O., *Les nombre et le destin*, Éd. Mercure de France.